2025年版

ユーキャンの
ケアマネジャー
はじめてレッスン

本書の使い方

こんにちは！
新人ケアマネの竹内です。「ケアマネジャーの仕事って？」「どんな問題が出るの？」「どんな勉強をすればいいの？」この本で、私といっしょに一気に解決しましょう!!

竹内まり子…ケアマネ１年生。１人で利用者を担当するのは少し不安だけど毎日笑顔でがんばっている。「はりきりすぎには要注意」という声も。

第1章 では…

全体をつかむ　ケアマネジャーはどのような環境（社会や制度）で、どのような仕事をするのでしょう。どのような知識が必要とされるのでしょう。基礎知識を把握したら、竹内さんと一緒に担当してみましょう。

必要! この場面で具体的にどのような知識や技術が必要かを簡潔に紹介。

5 必要な知識とスキル

ケアマネジャーは、介護保険制度の要であり、利用者にとっては、制度を利用する場合の窓口です。業務を行っていくなかで、どのような知識や技能（スキル）が必要なのでしょうか？

インテーク〜アセスメント

16

■インテーク

インテークとは“取り入れ口”に来た人から事情を聴く最初のケ

利用者をクライエントとして受を確認してサービスの提供に結びインテーク面接といいます（受理面接または受付面接とも）。

始まりは、利用者本人からだけでなく、家族からの場合などもあります。

ケアマネジャーにはどんな知識やスキルが必要なのか。一連の流れに沿ってみてみましょう。新人ケアマネ竹内さんが相談の電話を受けるところからスタートです。

はりきるケアマネ竹内さんの インテーク

居宅介護支援事業所のケアマネジャー竹内まり子さんのところに、松島和代さん（78歳）から電話がありました。「夫が骨折して入院していたが、退院後、足の痛みなどを訴え、自宅での生活に不安が生じてきた。外出もせず、ふさぎがちなことや、入浴が難しいことなどについて相談したい」。夫の良夫さん（81歳）は主治医のすすめで要介護認定を受けており、「要介護１」だそうです。竹内さんは２日後に訪問の約束をしました。

訪問時に竹内さんは、和代さん、良夫さんが話しやすい雰囲気をつくり、現在の状況、困っていることは何かなどについて傾聴しました。

そして、次の週末に、他県に住む娘の良美さんにも同席してもらい、アセスメントと契約を行うことになりました。

必要! 保健医療に関する知識
利用者や家族の相談を受け、適切なアドバイスや支援につなげます。

必要! 福祉に関する知識・スキル
面接の姿勢や技術を習得していれば、適切な対応ができます。

17

ケアマネジャーの役割“よくある場面”を事例マンガで解説。

《第１章の主な登場人物》

松島良夫さん…骨折で入院してから気分がふさぎがちな81歳

松島和代さん…なんとか夫に元気をだしてほしい78歳

第2章 では…　受験情報をつかむ

実際に試験を受けるために必要な情報です。分野別の学習ポイントやスケジュールのたて方などがわかります。

第3章 では…　出題傾向とポイントをつかむ

分野・項目ごとに近年の試験問題をみてみましょう。どんな「問われ方」をするのかを意識しながら、「点がとれる学習」を始めましょう。

あわせてチェック

プラスαで押さえておきたい事項をピックアップ！！

試験ではどう問われる？
近年の出題傾向をまとめました。

各項目の1シーンをのぞいてみましょう。
学習の「つかみ」に！！

福祉サービス分野 1 〈ソーシャルワーク〉

相談援助

クライエントや家族の意思をくみ取り、面接を円滑に進めるためのコミュニケーションの技術。なかでも「傾聴」について多く出題されます。また、専門職としての立ち位置を意識して、受容、支援の方向性などについての理解を深めましょう。

話の内容だけじゃなく、いろいろなチェックポイントがあるなぁ

表情　視線　しぐさ

「聴く」ことも「観察する」ことも大事ですよ

学習ポイント

1 相談援助での基本姿勢と実践原則

バイステックの7原則が基本となる

- 面接において、クライエントの基本的人権の尊重を心がけましょう。
- 相談援助では、クライエントの自信回復、自立への意欲喚起が重要なポイントです。すべてを引き受けるような姿勢は好ましくありません。

Key Point ◆バイステックの7原則

①個別化	②自己決定	③受容	④非審判的態度
⑤秘密保持	⑥統制された情緒的関与	⑦意図的な感情表現	

福祉サービス分野

4 医療保険者・年金保険者の事務

第2号保険料は医療保険者、第1号保険料は年金保険者が徴収する

- 第2号被保険者の保険料は、医療保険料の一部として、医療保険者が徴収します。
- 第1号被保険者の保険料は、年金保険者が年金の支払い時に、介護保険料分を天引きして徴収（特別徴収）し、市町村に納入します。

あわせてチェック　地域包括ケアシステムと地域共生社会

高齢者に、医療・介護・介護予防・住まい・生活支援サービスを切れ目なく提供する地域包括ケアシステムの実現に向けた取り組みは、2017（平成29）年の法改正で、より一層強化されました。また、2020（令和2）年には、高齢者を含む生活上の困難を抱えるさまざまな人にも対応できる地域共生社会の実現に向けて、社会福祉法などが一括で改正されています。

第3章 出題傾向&学習ポイント

試験ではこう問われる！

介護保険制度における都道府県の事務として正しいものはどれか。2つ選べ。

1 財政安定化基金の設置
2 地域支援事業支援交付金の交付 …… 社会保険診療報酬支払基金が市町村に交付する
3 第2号被保険者負担率の設定 …… 国が政令で設定する（3年ごと）
4 介護保険審査会の設置
5 介護給付費等審査委員会の設置 …… 国民健康保険団体連合会（国保連）が設置する

〈R2－4〉　正答 1 4

＊ここに掲載しているページは「本書の使い方」を説明するための見本です。

Key Point

出題のポイントになりそうなところについて取り上げ、箇条書きや表などでまとめました。

試験ではこう問われる！

出題の着眼点と解答を導くワンポイントアドバイス。学習を進める目安に。

《一緒に学習しよう》

合格に向けて学習をサポートします！

ミーア君

ダック先輩

もくじ

第１章　ケアマネジャーのお仕事

第２章　ケアマネジャーになる方法

第３章　出題傾向＆学習ポイント

おことわり

■法令などの基準について

本書の記載内容は、2024年8月末までに発表された法令および厚生労働省資料に基づき編集されたものです。

本書の記載内容について、執筆時点以降の法改正情報などで、2025年度試験の対象となるものについては、下記「ユーキャンの本」ウェブサイト内「追補（法改正・正誤）」にてお知らせいたします。

https://www.u-can.co.jp/book/information

第1章
ケアマネジャーのお仕事

1 ケアマネジャーってどんな仕事？

ケアマネジャー（介護支援専門員）は、2000（平成 12）年の介護保険制度創設に伴って誕生した資格です。介護保険制度の中核となる人材、それがケアマネジャーです

■介護保険制度ができた社会背景

ケアマネジャーが誕生することになった介護保険制度の創設。そこにはどのような社会的背景があったのでしょうか。

制度創設前は、介護が必要な高齢者に対して、老人医療制度や老人福祉制度などで別々に対応していました。しかし、少子・高齢社会が進むにつれ、特に高齢者の介護についてさまざまな問題が深刻化してきました。

高齢者の介護に関する問題例

- 介護は誰が？（女性の社会進出、核家族化、高齢者単独世帯の増加など）
- 介護はどこで？（住宅の数や質、社会的入院の問題など）
- 高齢者に多い病気への対応は？（認知症患者の増加など）

従来の制度を再編し、高齢者の介護を各家庭ではなく、社会全体で支えるシステムの必要性が高まりました。このような社会的要請を背景として、介護保険制度が創設されたのです。

■ケアマネジャーの役割

介護保険制度を運用するうえで軸となる「ケアマネジメント」（➡ P.10）を中心となって行う専門職がケアマネジャーです。

ケアマネジャーは、まず介護や支援を必要とする高齢者や家族の相談に応じ、利用者が適切なサービスを利用できるよう、利用者の生活ニーズ（課題）を分析します。それをもとにケア

プラン（➡P.12）を作成して、各々のニーズに合ったサービスを効果的に利用できるように援助を行います。

✿ 介護支援専門員の定義

要介護者等（要介護者・要支援者）からの相談に応じ、要介護者等がその心身の状況などに応じた適切なサービスまたは事業を利用できるように、市町村、事業者、施設などと連絡・調整などを行う者で、要介護者等が自立した日常生活を営むのに必要な援助に関する専門的知識や技術を有する者として、介護支援専門員証の交付を受けた者。

✿ 介護支援専門員の義務など

４つの事項が法律に規定されている。

1　介護支援専門員の義務

要介護者等の人格を尊重し、厚生労働省令の定める基準に従って公正かつ誠実に業務を行うこと、要介護者等が自立した日常生活を営むのに必要な援助に関する専門的知識・技術の水準を向上させ、その資質の向上を図るよう努めなければならない。

2　名義貸しの禁止など

介護支援専門員証を不正に使用したり、他人にその名義を貸したりして、介護支援専門員の業務のため、使用させてはならない。

3　信用失墜（しっつい）行為の禁止

介護支援専門員の信用を傷つけるような行為をしてはならない。

4　秘密保持義務

正当な理由なしに、その業務について知り得た人の秘密を漏らしてはならない。介護支援専門員でなくなったあとも同様である。

2 ケアマネジメント

ケアマネジメントとは、高齢者などのニーズをさまざまな社会資源と結びつけて、そのニーズに適したサービスを総合的・一体的・効率的に提供するシステムです

■高齢者などのニーズとさまざまな社会資源

介護や支援が必要となってからも、保健・医療・福祉のサービスを継続的に受けることができれば、住み慣れた地域での在宅生活が可能です。難しいのは、高齢者などによってニーズが異なり、さらに公的サービスやボランティア、近隣の支援など、利用できる社会資源が多岐にわたるということです。

個別に異なる高齢者などの生活ニーズ

- 車いすを使うようになり1人で外出できなくなった
- 家事のなかで自分ではできない部分が出てきた
- 腰痛のため自分の力で入浴することが難しい
- 話し相手がなく、ひきこもりがち　　　　　など

受けられるさまざまなサービス等

- 保険給付されるサービス
- 市町村が行うサービス
- ボランティアによるサービス
- 近隣の支援
- 他制度による支援　　　　　など

■ケアマネジメントがニーズを社会資源に結びつける

高齢者などのニーズと社会資源を結びつけ、総合的、一体的かつ効率的にサービスを提供するのがケアマネジメントというシステムです。

ケアマネジャーは、ケアマネジメントの中心となって働きます。ケアマネジャーの仕事の主な流れをみてみましょう。

①利用者やその家族の相談に応じ、利用者の課題を分析してニーズを把握する（アセスメント）。
②利用者が必要なサービスを適切に利用できるような「ケアプラン」を作成する。
③主治医や看護師、訪問介護員などサービス担当者と会議を開いて、ケアプラン原案の内容を話し合い、調整する（サービス担当者会議）。
④サービスの利用開始後は、その利用者にとって、サービスが適切に行われているか、追加・変更したほうがいいサービスがないかどうか、継続的にモニタリングを行う。

■ケアマネジメント提供にあたってケアマネジャーは

ケアマネジャーは、保険者（市町村）や事業者、主治医などとの連絡・調整を行います。サービスが適切に提供される過程において非常に重要な役割です。

そのほか、介護保険制度の申請手続きの代行など、サービスの利用手続きにもかかわります。また、地域の人々と一体となって高齢者を援助するしくみをつくるような働きかけも行います。

このように、ケアマネジャーは、介護保険制度の運営上、また、利用者の生活の質（QOL＝Quality of Life）を維持し、支えるためになくてはならない存在なのです。

3 ケアプラン

介護保険制度を利用するうえで、利用者のニーズを解決へ導くためのツールが、ケアプランです

■ケアプランの位置づけ

ケアマネジメントを行う大きな目的は、利用者の自立支援です。介護を必要とする人が、自分の意思に基づいて自分らしい生活を送ることができるよう、また生活の質（QOL）を高めていけるように、支援を行います。

ケアプランには、支援の目的や方向性、提供するサービスの内容などが記載されています。また、一定期間のうちにモニタリングを行い、利用者の状況やサービスの提供状況に応じた見直しを行って、常に最適な計画に更新します。

利用者は介護保険のサービスを現物給付（利用時に１割または２割〔または３割〕負担➡P.70）で利用することができますが、これはケアプランに位置づけられているサービスにかぎられます（例外もあります）。

◆PDCAサイクル

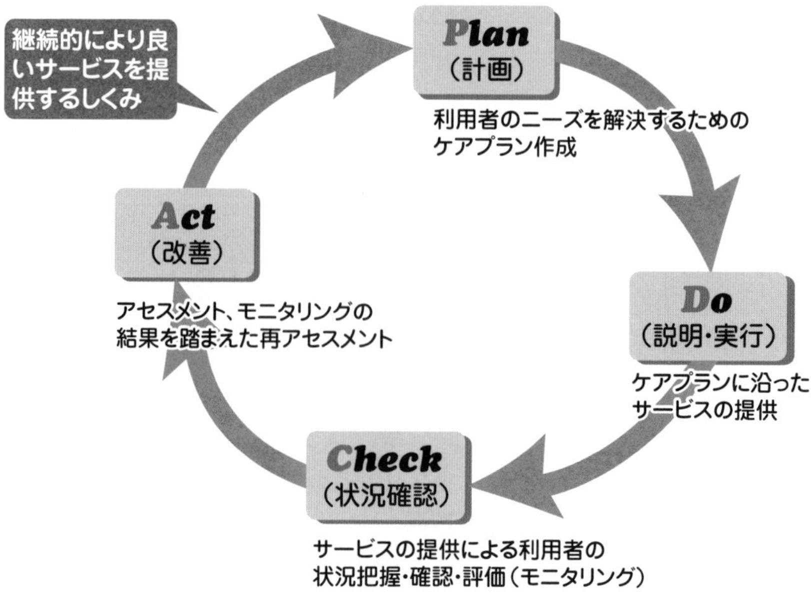

継続的により良いサービスを提供するしくみ

Plan（計画）
利用者のニーズを解決するためのケアプラン作成

Do（説明・実行）
ケアプランに沿ったサービスの提供

Check（状況確認）
サービスの提供による利用者の状況把握・確認・評価（モニタリング）

Act（改善）
アセスメント、モニタリングの結果を踏まえた再アセスメント

■ケアプラン作成にあたり配慮すべきこと

●誰にでもわかりやすいケアプランを

ケアプランは、サービスの内容、進行状況や質の管理などにかかわる重要書類です。記載されている情報は、利用者のほかサービスにかかわるチーム全体が共有しますので、内容は簡潔で的確な表現であるとともに、誰にでも理解できるよう、わかりやすいものにしましょう。

●サービスの提供は利用者のニーズや意思に基づいて

サービスを利用する主体はあくまで利用者ですから、ケアプランもその承諾を得たものでなければなりません。利用者本位の姿勢で計画が作成され、実行されて初めて“効果的なサービス”となります。

サービスの利用者本人のニーズや希望を明らかにし、その問題解決能力を高めながら、各種サービスの担当者とともにケアプランをたてて実行することが大切です。

✿ 総合的、一体的、効率的なサービスの提供

利用者は多様なニーズを併せもつ場合が少なくないため、保健、医療、福祉など各種サービスを統合し、総合的なサービスとして提供する必要がある。

１人の利用者に対して、ニーズに対応する多分野のサービスを組み合わせて提供するのは、簡単なことではない。そこで介護保険制度では、ケアプラン作成などのケアマネジメントの制度化によって、ニーズを総合的に把握し、サービスを一体的に提供することを可能にした。

4 チームアプローチによる支援

利用者の社会生活を支え、生活ニーズの解決を目指すには、さまざまな専門職が協働して支援することが必要です。知識や技能(スキル)、経験を駆使して、共通の目標達成のため、協働して取り組むことをチームアプローチといいます

■チームによるケア～ケアマネジャーの役割は？

ケアマネジメントは、利用者とその家族、各種サービス担当者、市町村の職員、利用者の主治医、地域包括支援センター、地域の住民や組織など、さまざまな人や関係機関と連携して行われます。ケアマネジャーは、このチームによる支援がスムーズに行われるよう、リーダーシップを発揮しなければなりません。

とはいえ、他のメンバーに指示したり、サービス内容などを決定したりする権限があるわけではありません。それぞれの立場や役割を理解し調整する"コーディネーター"だと考えればよいでしょう。

◆ケアマネジャーの位置づけ

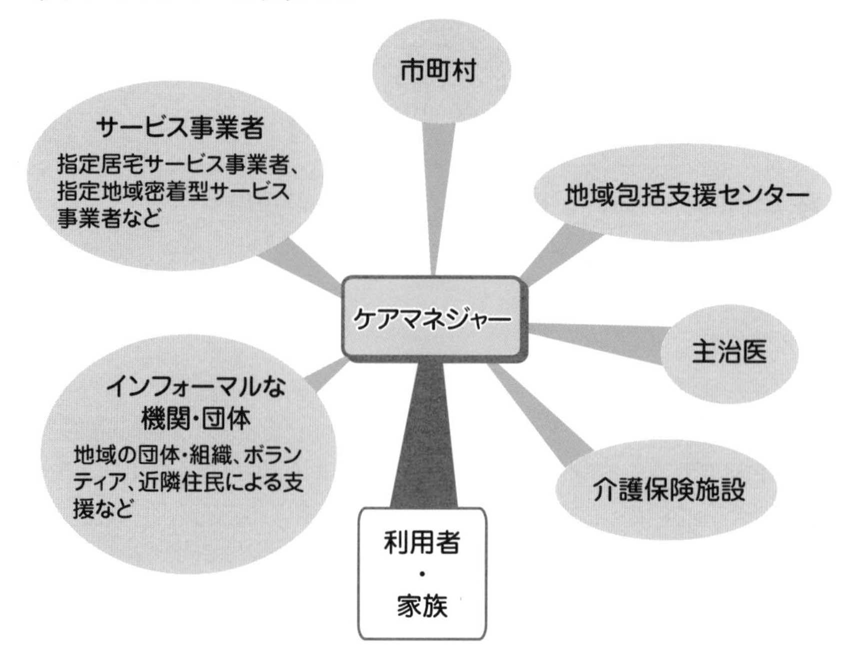

■チームアプローチによるサービス提供

多くの場合、利用者の生活ニーズは複数あります。必要なサービスや支援も複数であるため、1人の専門職だけで解決を目指せるケースはまれです。そのため、多職種からなる“チーム”で利用者の在宅生活を支える必要があり、同一施設・機関内でのアプローチだけではなく、地域での多様な専門職が関与するチームアプローチが行われるようになりました。

利用者は、フォーマルサービスとインフォーマルサポートを併せて利用することで、より質の高い生活を確保できます。このことからも、チームアプローチの重要性がわかります。

また、チームアプローチにおいては、利用者の生活全体についてアセスメントを行ってケアプランを作成し、それをもとに、各専門職がそれぞれの役割や機能を果たしていくことが求められます。

Key Point

●フォーマルサービス

各種公的サービス。保険給付、行政のサービスや職員、認可や指定を受けた民間機関・団体のサービスや職員など

●インフォーマルサポート

家族、親戚、友人、ボランティア、近隣の支援、明確に制度化されていない相互扶助団体など

利用者本位の徹底

ケアマネジメントでは、利用者を援助するすべての過程において、利用者本位の姿勢が徹底されなければなりません。そのため、ケアマネジャーは、利用者を援助するにあたって、チームのメンバー全員が利用者本位の姿勢で臨むよう見守っていく必要があります。

5 必要な知識とスキル

ケアマネジャーは、介護保険制度の要であり、利用者にとっては、制度を利用する場合の窓口です。業務を行っていくなかで、どのような知識や技能（スキル）が必要なのでしょうか？

インテーク～アセスメント

■インテーク

インテークとは“取り入れ口”のこと。ケアマネジメントでは、“相談に来た人から事情を聴く最初のケースワークの段階”を指します。

利用者をクライエントとして受け入れることからその状況を知り、課題を確認してサービスの提供に結びつけていきます。この過程で行う面接をインテーク面接といいます（受理面接または受付面接とも）。

始まりは、利用者本人からだけでなく、家族からの場合などもあります。

ケアマネジャーにはどんな知識やスキルが必要なのか。一連の流れに沿ってみてみましょう。新人ケアマネ竹内さんが相談の電話を受けるところからスタートです。

はりきるケアマネ竹内さんの インテーク

居宅介護支援事業所のケアマネジャー竹内まり子さんのところに、松島和代さん（78歳）から電話がありました。「夫が骨折して入院していたが、退院後、足の痛みなどを訴え、自宅での生活に不安が生じてきた。外出もせず、ふさぎがちなことや、入浴が難しいことなどについて相談したい」。夫の良夫さん（81歳）は主治医のすすめで要介護認定を受けており、「要介護１」だそうです。竹内さんは２日後に訪問の約束をしました。

訪問時に竹内さんは、和代さん、良夫さんが話しやすい雰囲気をつくり、現在の状況、困っていることは何かなどについて傾聴しました。

そして、次の週末に、他県に住む娘の良美さんにも同席してもらい、アセスメントと契約を行うことになりました。

必要!

保健医療に関する知識

利用者や家族の相談を受け、適切なアドバイスや支援につなげます。

必要!

福祉に関する知識・スキル

面接の姿勢や技術を習得していれば、適切な対応ができます。

■アセスメント（課題分析）

アセスメントとは、利用者の能力や身体・心理的な状態、生活環境（すでにサービスを受けている場合は実施されているサービス内容）の評価などから、利用者の生活ニーズを明らかにし、その解決に必要な介護サービスの内容を導き出す手法です。

アセスメントは、必ず利用者の居宅を訪問し、利用者および家族と面接をして行います。

はりきるケアマネ竹内さんの アセスメント

竹内さんは、松島さんの自宅で、娘の良美さん同席のもと、あらためて良夫さんの心身の健康状態、ADL、介護者である和代さんの状況、住まいの状況など（課題分析標準項目に沿った内容）について詳しく話を聴きました。竹内さんは、事業所のアセスメントシートを使って情報を整理し、良夫さんのニーズを把握していきました。

そして、竹内さんが良夫さんのケアマネジャーとして居宅介護支援をしていくことについて同意を得て重要事項を説明したうえで、所属する居宅介護支援事業者との契約書と重要事項説明書、個人情報使用同意書に署名捺印をもらいました。また、届出に必要な被保険者証も預かりました。

必要!

課題分析を行い、ケアプランの作成につなげるための知識・スキル

必要!

契約・手続きなどに関する知識

契約や届出の書類などは、正しい理解と、確実な取り扱いが必要です。

■課題分析の項目について

アセスメントの際にツールとして用いる課題分析票は、全国共通で決められているわけではありません。書式はさまざまなものが開発されていますが、客観的に利用者の生活ニーズを抽出する目安として、厚生労働省から示されているのが「課

題分析標準項目」です。課題分析は、この項目に沿って行います。

◆課題分析標準項目（基本情報に関する項目）

1	基本情報（受付、利用者等基本情報）
2	これまでの生活と現在の状況（利用者の現在の生活状況、これまでの生活歴など）
3	利用者の社会保障制度の利用情報（利用者の被保険者情報、年金の受給状況、生活保護受給の有無など）
4	現在利用している支援や社会資源の状況（利用者が現在利用している社会資源）
5	日常生活自立度（障害）
6	日常生活自立度（認知症）
7	主訴・意向（利用者・家族などの主訴や意向）
8	認定情報（利用者の要介護状態区分、介護認定審査会の意見、区分支給限度基準額など）
9	今回のアセスメントの理由

◆課題分析標準項目（アセスメントに関する項目）

10	健康状態（利用者の健康状態および心身・受診・服薬に関する状況）
11	ADL（寝返り、起き上がり、移乗、歩行、更衣、入浴など）
12	IADL（調理、掃除、洗濯、買い物、服薬管理、金銭管理など）
13	認知機能や判断能力（日常の意思決定を行うための認知機能の程度など）
14	コミュニケーションにおける理解と表出の状況（視覚、聴覚等の能力、意思疎通、コミュニケーション機器・方法など）
15	生活リズム（1日および1週間の生活リズム・過ごし方、日常的な活動の程度、休息・睡眠の状況など）
16	排泄の状況（排泄の場所・方法、尿・便意の有無、失禁の状況など）
17	清潔の保持に関する状況（入浴や整容・皮膚や爪・寝具や衣類の状況）
18	口腔内の状況（歯の状態、義歯の状況、かみ合わせ、口腔内の状態など）
19	食事摂取の状況（食事摂取の状況、摂食嚥下機能、必要な食事量、食事制限の有無）
20	社会とのかかわり（家族等とのかかわり、地域とのかかわり、仕事とのかかわり）
21	家族等の状況（本人の日常生活あるいは意思決定にかかわる家族等の状況、家族等による支援への参加状況など）
22	居住環境（日常生活を行う環境、リスクになりうる状況、自宅周辺の環境など）
23	その他留意すべき事項・状況（虐待、経済的困窮、身寄りがない、外国人、医療依存度が高い、看取りなど）

ケアプランの作成（原案、確定～交付）

アセスメントの結果をもとに、ケアプラン原案を作成します。原案はサービス担当者会議（➡P.24）で検討し、修正・調整を加えて確定版となります。そして、内容を利用者や家族に説明して、文書による同意を得た後、利用者、各サービス担当者に交付します。

■支援目標の設定

支援目標とは、利用者の自立や生活の質の向上を考慮して示した到達すべき状況・方向性を指します。ポイントは、利用者はどこでどのような生活をしたいのかという「利用者および家族の生活に対する意向」と、どのような立場で支援していくのかという「総合的な援助の方針」で、これらがサービスを提供するチームの共通した支援目標になります。

■生活ニーズから具体的なサービス選択へ

アセスメントの結果から、生活ニーズを抽出します。そして、どのように解決していくのかについて、長期目標、短期目標とそれぞれの期間を設定します。

次に、目標に対応する援助内容を具体的に設定します（サービスの内容、種類〔事業者の選定も〕、頻度〔回数〕など）。

はりきるケアマネ竹内さんの ケアプラン作成

本人・家族の意向

（良夫さん）糖尿病の治療と足の痛みで憂鬱（ゆううつ）だが妻や娘に心配をかけないよう、明るく過ごしたい。入浴は妻には無理なので支援してほしい。
（和代さん）日常生活のサポートはできるだけ行うが、家族以外との交流ももってほしい。

良夫さんの生活ニーズ

1 病気が悪化しないよう疾病の管理をしたい。
2 閉じこもりがちなので、外に出て明るい気持ちで生活したい。
3 清潔に過ごしたい。

良夫さんに位置づけたサービス

1 疾病管理・相談支援・服薬処方（医療機関）
2 機能訓練による身体機能の維持（通所介護）歩行器の貸与（福祉用具貸与）
3 入浴介助、洗身一部介助、着替え介助（通所介護）

必要!

介護支援や福祉制度の知識

サービスの詳細な内容、他の福祉制度などの情報を理解しておくことが大切です。

サービス内容の設定にあたっては、サービス利用票、サービス利用票別表も仮作成し、支給限度基準額や利用者負担額を確認します。それらを考え合わせ、インフォーマルサポートへの移行なども検討していきます。

◆ケアプラン第1表～第7表

第1表

居宅サービス計画書（1）　　作成年月日　年　月　日

初回・紹介・継続　　認定済・申請中

利用者名　殿　生年月日　年　月　日　住所

居宅サービス計画作成者氏名

居宅介護支援事業者・事業所名及び所在地

居宅サービス計画作成（変更）日　年　月　日　初回居宅サービス計画作成日　年　月　日

認定日　年　月　日　認定の有効期間　年　月　日～　年　月　日

要介護状態区分	要介護1・要介護2・要介護3・要介護4・要介護5
利用者及び家族の生活に対する意向を踏まえた課題分析の結果	
介護認定審査会の意見及びサービスの種類の指定	
総合的な援助の方針	
生活援助中心型の算定理由	1.一人暮らし　2.家族等が障害、疾病等　3.その他（

第1表　居宅サービス計画書（1）

利用者の基本的な情報のほか、「利用者及び家族の生活に対する意向を踏まえた課題分析の結果」、「総合的な援助の方針」など支援計画の全体的な方向性（方針）を記載します。

第2表

居宅サービス計画書（2）　　作成年月日　年　月　日

利用者名　殿

生活全般の解決すべき課題(ニーズ)	目標				援助内容					
	長期目標	(期間)	短期目標	(期間)	サービス内容	※1	サービス種別	※2	頻度	期間

…険給付対象内サービスについては○印を付す。

第2表　居宅サービス計画書（2）

利用者のニーズ、目標、援助内容などを記載する、ケアプランの中核となる書類です。

第3表

週間サービス計画表　　作成年月日　年　月　日

利用者名　殿

		月	火	水	木	金	土	日	主な日常生活上の活動
	0:00								
深夜	2:00								
深夜	4:00								
早朝	6:00								
早朝	8:00								
午前	10:00								
午前	12:00								
午後	14:00								
午後	16:00								
夜間	18:00								
夜間	20:00								
深夜	22:00								
深夜	24:00								

週単位以外のサービス	

第3表　週間サービス計画表

週単位の介護サービスと利用者の主な日常生活上の活動を記載します。利用者の生活に介護サービスがどのようにかかわっているのかがわかります。

第4表

サービス担当者会議の要点　　作成年月日　　年　　月　　日

利用者名　　　　　　　　殿　　　　居宅サービス計画作成者(担当者)氏名

開催日　　年　月　日　開催場所　　　　　開催時間　　　　　開催回数

会議出席者	所 属(職種)	氏 名	所 属(職種)	氏 名	所 属(職種)	氏 名
利用者・家族の出席 本人：【 】 家族：【 】 (続柄：　) ※備考						
検討した項目						
検討内容						
結論						
残された課題 (次回の開催時期)						

第4表　サービス担当者会議の要点

ケアプランの内容を検討する「サービス担当者会議」での検討項目や結論などの要点を記載します。

第5表

居宅介護支援経過　　作成年月日　　年　　月　　日

利用者名　　　　　　　　殿　　　　居宅サービス計画作成者氏名

年　月　日	項　目	内　　容	年　月　日	項　目	内　　容

第5表　居宅介護支援経過

利用者からの相談内容、事業者との連絡内容や調整事項、モニタリングの結果などを時系列に沿って記録します。

第6表

認定済・申請中

年　月分　サービス利用票（兼居宅（介護予防）サービス計画）　　居宅介護支援事業者→利用者

保険者番号		保険者名		居宅介護支援事業者事業所名 担当者名		作成年月日	年　月　日
被保険者番号		フリガナ 被保険者氏名				届出年月日	年　月　日
生年月日	明・大・昭 年　月　日	性別	要介護状態区分 1 2 3 4 5 変更後要介護状態区分 1 2 3 4 5 変更日 年　月　日	区分支給限度基準額　単位／月	限度額適用期間　年　月から　年　月まで	前月までの短期入所利用日数	日

提供時間帯	サービス内容	サービス事業者事業所名	福祉用具貸与の場合のみ 用具名称(機種名)	TAIS・届出コード	日付	1	2	3	4	5	6	7	8	9	10	11	12	13	14	15	16	17	18	19	20	21	22	23	24	25	26	27	28	29	30	31	合計回数
					曜日																																
					予定																																
					実績																																

（月間サービス計画及び実績の記録）

第6表　サービス利用票

月単位で提供される介護サービスの1か月のスケジュールや実績などを記載します。

第7表

サービス利用票別表　　作成年月日　　年　　月　　日

区分支給限度管理・利用者負担計算

種類別支給限度管理

要介護認定期間中の短期入所利用日数

第7表　サービス利用票別表

事業所ごとに、サービス内容、利用者負担額などを記載します。利用者とその家族にとっては「料金の明細書」のような意味もあります。

サービス担当者会議

ケアプランは、保健や医療、福祉などの専門職が１つの共通した方針（総合的な援助の方針）について合意したうえで作成されなければなりません。ケアマネジャーは、サービス担当者会議（ケアカンファレンス）を開き、利用者や家族のほかに、医師、看護師、訪問介護員などのサービス担当者から専門的な意見を聞いて、ケアプラン原案を修正・調整します。

■各分野の専門職が集まるサービス担当者会議

サービス担当者会議には、利用者や家族とその利用者の支援にかかわるすべての人が出席し、意見を出し合います。サービス担当者会議は、居宅サービス計画の新規作成時、変更時、更新認定時、区分変更認定時に、必ず開催します（やむを得ない理由がある場合を除く）。

Key Point ◆サービス担当者会議のねらい

1 共通理解

○利用者やその家族の生活全体について ○支援目標「利用者および家族の生活に対する意向」「総合的な援助の方針」について ○「生活ニーズ」について ○サービス担当者それぞれの役割分担について

2 居宅サービス計画の内容をよりよいものにする

3 サービス担当者のチームワークをよくする

はりきるケアマネ竹内さんの サービス担当者会議

竹内さんは良夫さんの介護支援にかかわる人を集め、サービス担当者会議を開きました。

参加者　良夫さん、和代さん、良美さん、主治医、看護師、デイサービスの生活相談員、福祉用具専門相談員

ケアプラン原案の内容について、良夫さんたちや各担当者に説明し、意見や要望を出してもらいました。良夫さんからは入浴の回数と時間帯について希望が出され、デイサービスの担当者と相談しました。また歩行器の選定については、福祉用具専門相談員から現在の身体状況について良夫さんと主治医に対し、質問と確認がありました。

竹内さんは、会議の内容を「第4表 サービス担当者会議の要点」にまとめ、ケアプラン原案を修正しました。

必要!

介護支援についての知識

ケアマネジメントを進めるうえでの連携のしかたについて理解しておくことが大切です。

必要!

連絡・調整能力

開催にあたっては複数の人のスケジュールを調整し、連絡を取り合わなければなりません。

モニタリング

サービスの提供がスタートしたら、各サービスがケアプランに基づいて適切に行われているか、また新たな生活ニーズが生じていないかを確認します。

新たな生活ニーズが生じていた場合には、再度アセスメントを行い、必要に応じてサービス担当者会議を開催し、ケアプランの変更を行います。

■モニタリングの記録もしっかりと

モニタリングについては、アセスメントと同じく、法定の書式はありません。必要項目を挙げておくなど、簡潔にチェックできるような書式を用

意しましょう。また、モニタリングを行った日時、記録については「第5表 居宅介護支援経過」に記載します。

はりきるケアマネ竹内さんの モニタリング

良夫さんのサービスが開始されて1か月が経ち、竹内さんは松島さんの自宅を訪問して、第1回のモニタリングを行いました。事業所のモニタリングシートの記入項目に沿って、チェックしていきます。

デイサービス利用時の様子については良夫さんにヒアリングしたところ、デイサービスの利用と入浴については特に問題ないことがわかりました。

歩行器の使用については、実際に良夫さんが使用しているところを観察し、和代さんの意見も聴いて、特に問題はみられなかったので、継続して使用することにしました。

竹内さんは、用意してきた翌月分のサービス利用票を提示し、内容を確認したうえで署名捺印してもらいました。

必要!
介護支援についての知識

モニタリングや再アセスメントの手順も含め、ケアマネジメントを進めるうえで守るべき法令の基準についても熟知しておきましょう。

■再アセスメントについてはモニタリングの結果で判断

必要に応じて、再アセスメントやケアプランの変更を行います。必要かどうかは、利用者からの申し出の有無にかかわらず、モニタリングの結果から判断します。

次の
モニタリングは
○月○日です

その前でも
何か気になること
などがあったら
ご連絡くださいね

◆column◆◆◆column◆◆◆column◆◆◆column◆◆◆column◆◆column◆◆◆column◆◆◆column◆◆

ケアプラン作成の流れと業務フロー

インテークからモニタリングまで一連の流れをみてきました。モニタリングの結果、再アセスメントが必要だということになったら、アセスメントに戻り、同様のステップを経ていきます。それぞれの業務について、振り返ってみましょう。

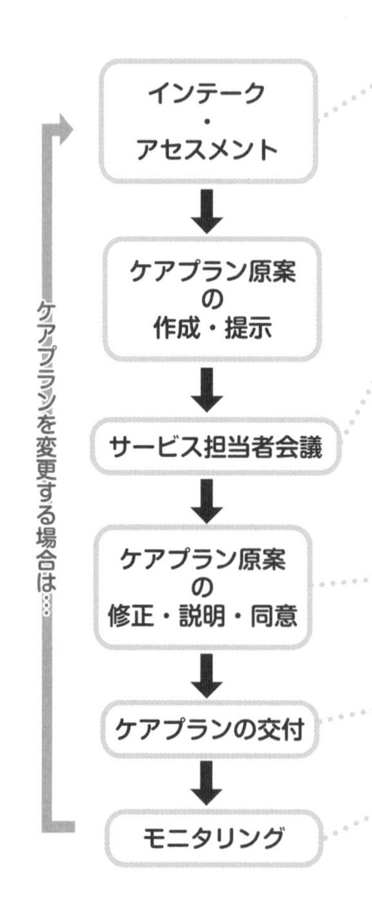

◎相談面接や、利用者との契約を行う

★アセスメント（課題分析）は、利用者の**居宅**で、**利用者および家族と面接**して行う

◎**課題分析標準項目**（23項目）すべての情報を集める

★ケアプラン**新規作成時**、**変更時**のほか、利用者の**更新認定時**、**区分変更認定時**にも原則として開催する。やむを得ない理由がある場合※は、担当者に対する照会などにより意見を求める

※やむを得ない理由がある場合とは…
どうしても日程調整がつかない、ケアプランの変更が軽微な場合など

★ケアプランの原案の内容は、利用者・家族に説明し、利用者から**文書による同意**を得る

★ケアプランは、利用者および担当者に交付する

★特段の事情※がないかぎりケアプラン作成後、**少なくとも月に1回**は利用者の居宅を訪問して面接し、モニタリングの結果を記録する

※特段の事情とは…
利用者の事情によるものにかぎる。その場合は、第5表にその理由を記載する

★は、守っていないと運営基準減算の対象です（運営基準減算は居宅介護支援のみ）

第2章
ケアマネジャーになる方法

1 試験概要

ケアマネジャーとして仕事をするには、「介護支援専門員証」の交付を受けなければなりません。「介護支援専門員実務研修受講試験」受験から交付を受けるまでの流れをみてみましょう

■受験の流れ

①受験申込用書類の取り寄せ……………………………… 5〜7月頃

まず、受験する都道府県から『受験要項』（都道府県により「受験案内」「受験の手引き」など名称は異なる）を取り寄せます。

早いところでは5月下旬頃から、各都道府県のホームページや広報紙などに、配布時期や方法、受験申込受付期間など、詳細が発表されます。6月頃から配布が始まりますので、早めに受験地へ問い合わせて確認し、取り寄せておきましょう。

✿ 受験地を間違えないように注意しよう！

受験申込日現在、受験資格該当業務に従事している。

(YES) ▷▷▷ 勤務地の都道府県

(NO) ▷▷▷ 住所地の都道府県

②受験申込手続き…………………………………………… 5〜7月頃

『受験要項』に従って申し込みます。

必要な書類や受験料は受験資格や都道府県によって異なりますので注意しましょう。

・受験申込書　・受験手数料払込受領書
・顔写真　・実務経験（見込）証明書
・その他添付書類（受験資格などにより異なる）

実務経験証明書はそろえるのに時間がかかることも！早めに準備しよう！

③受験票の受け取り……………………………………………9月初旬～下旬

提出した書類が審査され、審査を通過したら受験票が郵送されてきます。氏名や受験地、試験会場を確認しましょう。

④本試験受験…………………………………10月初旬～中旬の日曜日

試験時間は120分です。

⑤合格発表………………………………………………11月下旬～12月上旬

郵送で合否が通知されます。各都道府県によりホームページで公表されるところもあります。

⑥実務研修・登録……………………………………………………試験終了後

原則として、実務研修受講試験終了後1年以内に受講します。実務研修を修了し、都道府県知事に申請して登録を受けると介護支援専門員資格登録簿に掲載されます。

⑦介護支援専門員証の交付…………………………………………登録後

登録後、さらに都道府県知事に申請し、介護支援専門員証の交付を受けます。交付を受けて初めて介護支援専門員の業務に従事することができます。

✿ 介護支援専門員証の有効期間と更新

有効期間：５年間

更新方法：都道府県知事またはその指定する機関が行う更新研修を受講する。

＊介護支援専門員証が失効している人や、登録後５年を超えている人が新たに交付を受ける場合には、更新研修ではなく再度実務研修を受けなければならない。

■受験資格

次の①～⑤の業務に従事した期間が、通算して5年以上、かつ900日以上の者。

①法定資格保有者

保健・医療・福祉に関する以下の法定資格に基づく業務に従事した期間

医師、歯科医師、薬剤師、保健師、助産師、看護師、准看護師、理学療法士、作業療法士、社会福祉士、介護福祉士、視能訓練士、義肢装具士、歯科衛生士、言語聴覚士、あん摩マッサージ指圧師、はり師、きゅう師、柔道整復師、栄養士（管理栄養士を含む）、精神保健福祉士

②生活相談員

生活相談員として、地域密着型介護老人福祉施設入所者生活介護、介護老人福祉施設、（地域密着型）特定施設入居者生活介護（介護予防を含む）において、要介護者等の日常生活の自立に関する相談援助業務に従事した期間

③支援相談員

支援相談員として、介護老人保健施設において、要介護者等の日常生活の自立に関する相談援助業務に従事した期間

④相談支援専門員

障害者総合支援法第5条第18項および児童福祉法第6条の2の2第7項に規定する事業の従事者として、要介護者等の自立に関する相談援助業務等に従事した期間

⑤主任相談支援員

生活困窮者自立支援法第3条第2項に規定する事業の従事者として従事した期間

※2017（平成29）年度試験までは、経過措置として、介護等の実務経験も受験資格の対象となっていましたが、現在は対象ではありませんので注意しましょう。
※自分が受験資格に該当するかどうかの詳細は、受験地の都道府県の受験要項でご確認ください。

■欠格事由

次の①～⑤の欠格事由に該当する場合には、受験や実務研修の受講は可能ですが、介護支援専門員の登録を受けることはできません。

①心身の故障により介護支援専門員の業務を適正に行うことができない者として厚生労働省令で定めるもの
②禁錮※以上の刑を受けその執行を終わるまでの者
③介護保険法その他国民の保健・医療・福祉の法律により罰金刑を受け、その執行を終わるまでの者
④申請前５年以内に居宅サービスなどに関し不正または著しく不当な行為をした者
⑤申請前５年以内に介護支援専門員資格登録簿から消除され、消除の日から５年を経過しない者など
※刑法の改正により懲役と禁錮が一本化され、2025（令和７）年６月１日から拘禁刑となる

■試験の内容

試験では、介護支援専門員の業務に関し必要な基礎的知識が問われます。試験の内容は介護支援分野、保健医療サービス分野、福祉サービス分野の３つにわけられます。

●介護支援分野…介護保険制度とケアマネジメントなどについて
●保健医療サービス分野（保健医療サービスの知識等）
…高齢者の疾患、介護技術、検査などの医学知識、保健医療サービス各論などについて
●福祉サービス分野（福祉サービスの知識等）
…相談援助、福祉サービス各論、他制度などについて

■試験の問題数と解答時間

2015（平成27）年度の試験から法定資格による解答免除がなくなりました。下表のように出題数が割り当てられ、全部で60問です。解答時間は２時間で、１問あたりで２分となります。

■問題数と解答時間

分野	介護支援分野	保健医療サービス分野	福祉サービス分野
出題数	25問	20問	15問
解答時間	2時間		

■出題形式

●マークシート方式（都道府県によって異なる場合がある）
●５肢複択方式…５つの選択肢から正解を２つまたは３つ選ぶ。

（例）　問題13　地域支援事業の包括的支援事業として正しいものはどれか。２つ選べ。　（令和５年度試験）

1　家族介護支援事業　　2　一般介護予防事業
3　在宅医療・介護連携推進事業　　4　保健福祉事業
5　生活支援体制整備事業

答　3、5

■合格ライン

合格基準は、「介護支援分野」と「保健医療福祉サービス分野（保健医療サービスの知識等と福祉サービスの知識等の合計）」のそれぞれにおいて、合格点で示されます。合格点はそれぞれで７割程度の正解率が基準となりますが、そのときの試験の難易度により、補正されます。

「介護支援分野」または「保健医療福祉サービス分野」のどちらかが合格ラインに達していない場合、もう一方が合格ラインに達していても不合格となります。

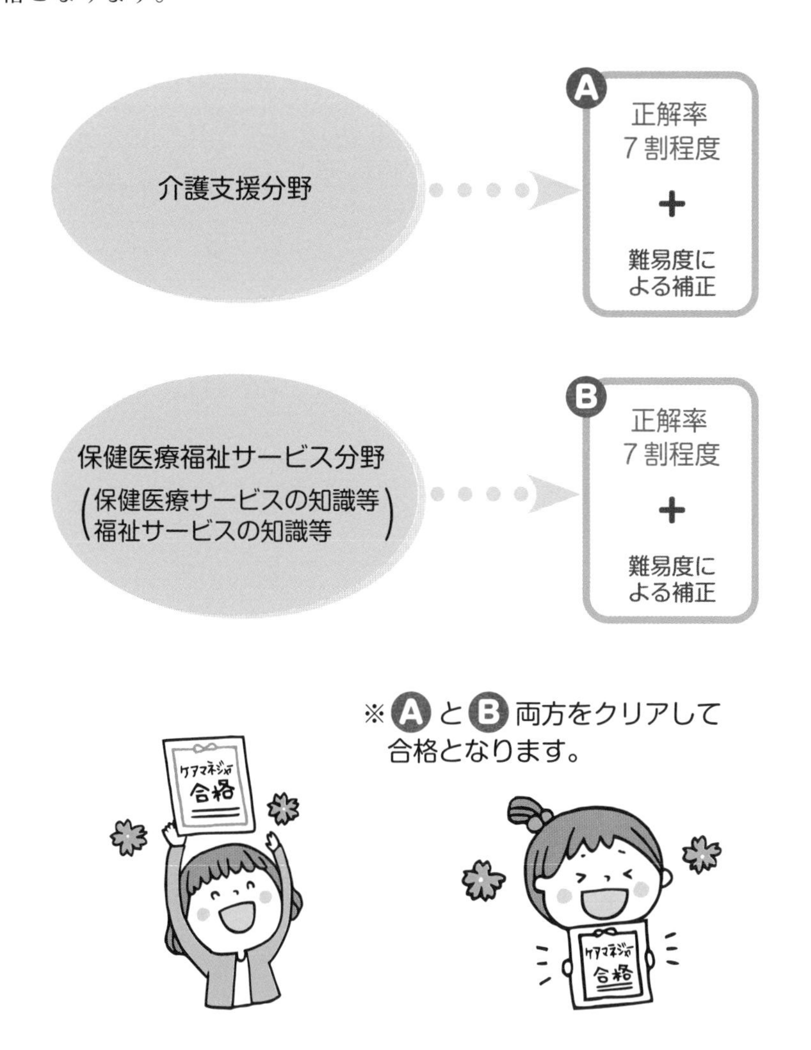

■受験データ

出題内容はあくまで実務に必要な基本的知識です。「知っていたのに正答に結びつけられなかった」など点のとりこぼしがないよう、問題練習を重ねて得点スキルを身につけましょう。

■第1回から第26回までの受験者数・合格者数・合格率（厚生労働省発表）

	受験者数	合格者数	合格率
第1回（1998年度）	207,080人	91,269人	44.1%
第2回（1999年度）	165,117人	68,090人	41.2%
第3回（2000年度）	128,153人	43,854人	34.2%
第4回（2001年度）	92,735人	32,560人	35.1%
第5回（2002年度）	96,207人	29,508人	30.7%
第6回（2003年度）	112,961人	34,634人	30.7%
第7回（2004年度）	124,791人	37,781人	30.3%
第8回（2005年度）	136,030人	34,813人	25.6%
第9回（2006年度）	138,262人	28,391人	20.5%
第10回（2007年度）	139,006人	31,758人	22.8%
第11回（2008年度）	133,072人	28,992人	21.8%
第12回（2009年度）	140,277人	33,119人	23.6%
第13回（2010年度）	139,959人	28,703人	20.5%
第14回（2011年度）	145,529人	22,332人	15.3%
第15回（2012年度）	146,586人	27,905人	19.0%
第16回（2013年度）	144,397人	22,331人	15.5%
第17回（2014年度）	174,974人	33,539人	19.2%
第18回（2015年度）	134,539人	20,924人	15.6%
第19回（2016年度）	124,585人	16,281人	13.1%
第20回（2017年度）	131,560人	28,233人	21.5%
第21回（2018年度）	49,332人	4,990人	10.1%
第22回（2019年度）	41,049人	8,018人	19.5%
第23回（2020年度）	46,415人	8,200人	17.7%
第24回（2021年度）	54,290人	12,662人	23.3%
第25回（2022年度）	54,406人	10,328人	19.0%
第26回（2023年度）	56,494人	11,844人	21.0%
合　計	3,057,806人	751,059人	—

※第27回（2024年度）　試験：10月13日　合格発表：11月25日（予定）
※第22回試験は、2019年10月13日と2020年3月8日（再試験）を合算。

2 合格する方法

合格に向けて、効果的に学習するために、出題内容や傾向、学習のポイントをつかんでおきましょう。

■分野別出題数実績データ

試験での出題内容を分野別に項目でわけると、過去5年（第22回～第26回）では、おおむね次のような比率で出題されています。

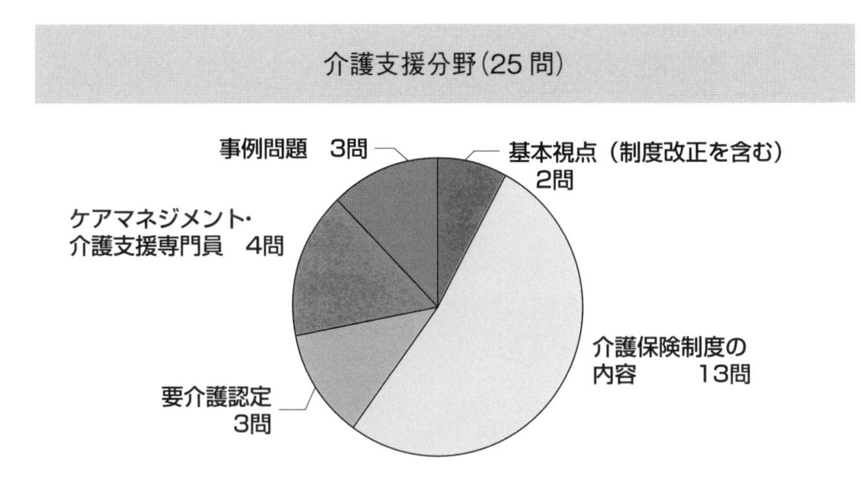

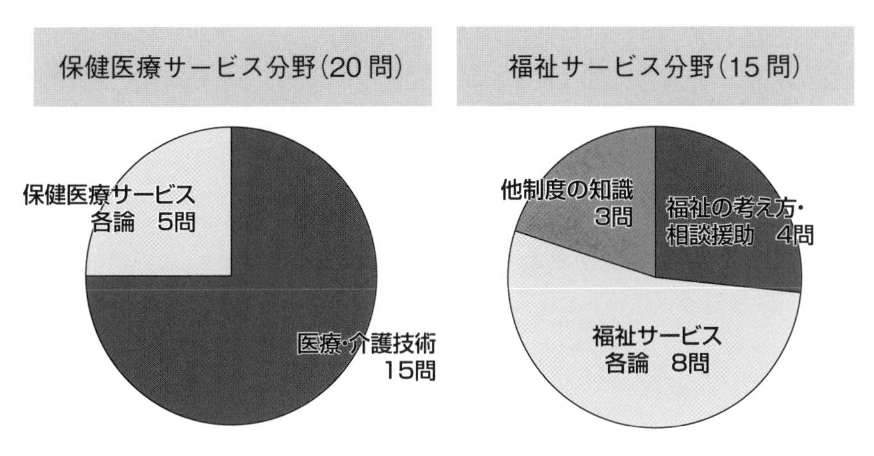

■各分野の概要と学習のポイント

3つの分野と事例問題で、どのような内容が出題されるのかみてみましょう。

介護支援分野では…

概要 ①基本視点（介護保険制度のねらいや制度改正の変遷など）
②介護保険制度についての知識（要介護認定、保険給付、財政など）
③ケアプランについて（知識、作成技術）、ケアマネジメントを通じての利用者への対応など

介護保険制度の原則的内容と、ケアマネジャーとしての基本姿勢を理解できてる？

傾向 介護保険制度とケアマネジメントについての知識や技能が問われます。制度創設後の改正内容、被保険者、要介護認定、保険給付の種類、保険財政、利用者負担、地域支援事業、事業者の指定、居宅介護支援の運営基準やケアプラン作成にかかわる問題、事例問題がよく出題されます。

また、課題分析標準項目や主治医意見書の項目についても出題されています。これらの様式にも目を通しておきましょう。

保健医療サービス分野では…

概要 ①医療や介護技術に関する知識（検査値やバイタルサインをとおした高齢者の身体状況への理解、高齢者がかかりやすい症状や疾患、認知症への理解と対応、リハビリテーションの概要、在宅医療管理、介護技術など）
②各保健医療サービスについて（保健医療系の居宅サービス、地域密着型サービス、介護予防サービス、施設サービスの目的や内容、人員・設備運営基準など）

高齢者の身体の特徴や抱える疾患などの問題をしっかり理解できてる？

傾向 高齢者に起こりやすい症状や疾患では、老年症候群（廃用症候群、低栄養など）、パーキンソン病、糖尿病、骨粗鬆症、心疾患、認知症、医

療や介護技術では、バイタルサイン、在宅医療管理、感染症、口腔ケアなどがよく出題されます。

サービス各論では、訪問看護、通所リハビリテーション、短期入所療養介護、介護老人保健施設がよく出題されます。最近の傾向では、看護小規模多機能型居宅介護、介護医療院も出題される可能性が高いです。

福祉サービス分野では…

概要 ①福祉の考え方、相談援助（面接の姿勢や技術、ソーシャルワークの手法など福祉援助を行ううえでの技能と知識）
②福祉系のサービス各論（福祉系の居宅サービスや地域密着型サービス、介護予防サービス、施設サービスの目的や内容、運営基準、介護報酬など）
③他の福祉制度に関する知識（社会資源や高齢者の権利擁護のための制度〔虐待への対応を含む〕、生活保護制度、障害者総合支援法など）

実務を想定して覚えよう！

傾向 面接技術や支援困難事例、ソーシャルワークなどでは、相談場面などにおける援助者の対応を事例的に問う問題も出ています。

サービス各論では訪問介護、訪問入浴介護、通所介護、短期入所生活介護、介護老人福祉施設がほぼ毎年出題され、地域密着型サービスについては平均2問出題されています。他制度に関する知識では成年後見制度や生活保護制度がよく出題されます。

事例問題は…

概要 問題文に登場する要介護者等の年齢や家庭環境、身体状況などの情報を踏まえ、必要なケアマネジャーの対応について

介護保険制度の理念やケアマネジャーとしての基本姿勢は理解できてる？

傾向 利用者の自立支援や在宅における生活継続への支援、自己決定の支援などの視点が問われます。

居宅介護支援（介護予防支援）を進めるための知識は身についてる？

傾向 課題分析からモニタリングまでの基本的な知識・技能が問われます。

生活ニーズに対応した適切なサービスの提案ができる？

傾向 適切なプランを提示するうえで個別対応するための基本知識が問われます。福祉用具や住宅改修の活用も重要です。

他制度についても理解できてる？

傾向 さまざまな利用者に対する、成年後見制度や生活保護制度、日常生活自立支援事業、障害者福祉制度についての知識などが問われます。高齢者虐待を発見したときの対応や高齢者虐待防止法への理解も重要です。

他の専門職や機関との連携や社会資源の活用ができる？

傾向 ケアマネジャーは、地域で各種の社会資源をコーディネートします。また、他の専門職や機関との連携がよく問われます。

■学習スケジュールをたてよう！

みなさんが挑戦する「介護支援専門員実務研修受講試験」は、１年に１回。忙しい毎日、勉強する時間をつくるだけでも大変ですよね。そのかぎられた時間を効率よく使って合格を勝ち取る、そのためには、自分にあった学習スケジュールをたてることが大切です。

学習スケジュールのたて方として、準備期間別に①６か月プランと②３か月プランを紹介します。これらを参考に、自分の生活パターンにあったスケジュールをたててみましょう。

①６か月プラン

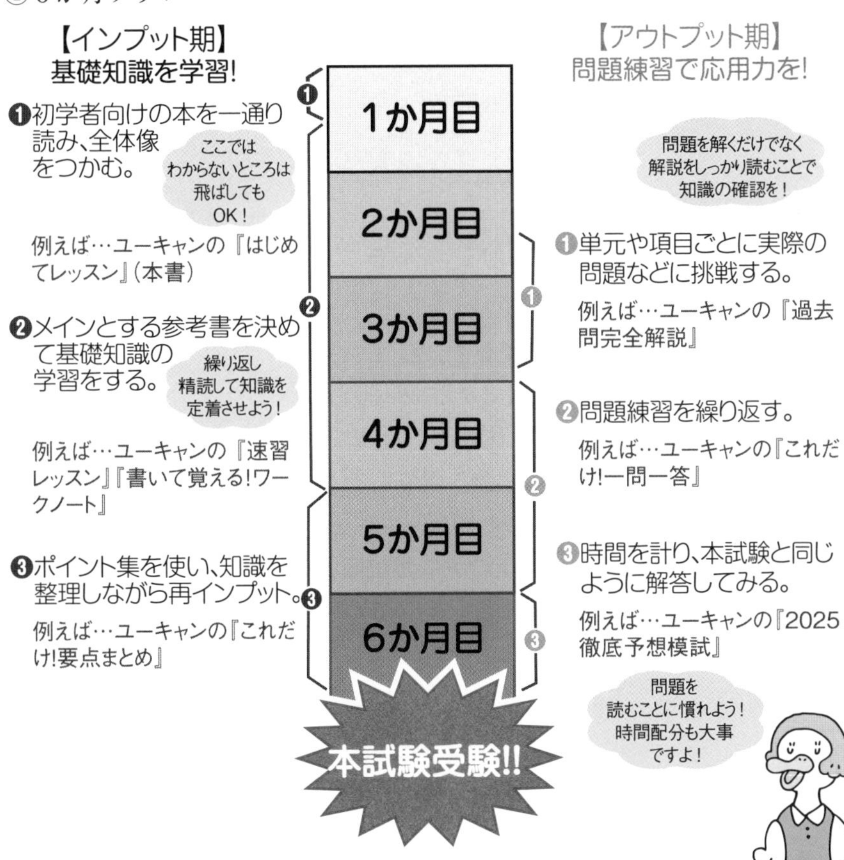

②３か月プラン

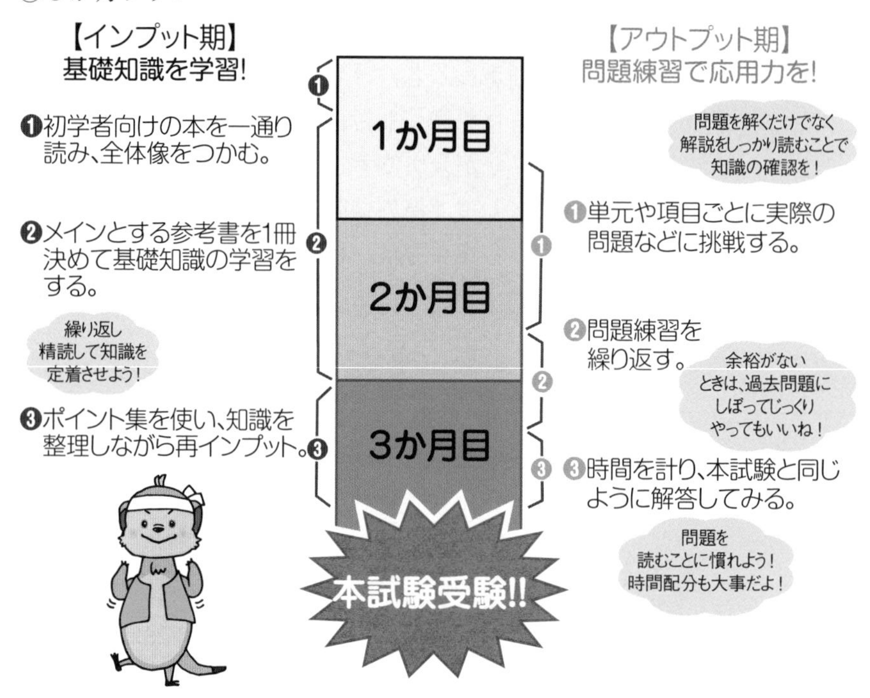

■学習効果を上げるためのポイント

（1）　参考書や問題集をやたらと増やさない！

参考書も問題集もじっくり「繰り返す」ことが重要です。
（「合格するには過去問題集を最低３回解くこと！」という先生もいますね）

（2）　インプットとアウトプットは並行して進める

基礎知識の学習が全部終わってから問題練習を行おうとすると、思わぬ時間のロスを招くこともあります。１つの項目ごとに過去問題を解いてみる、など組み合わせて進めましょう。
（問題を解いてみたら「なぁんだ、そういうことか」とわかることもありますよ）

（3）「繰り返し」を意識して！

重点的に繰り返すのは「自信があったのに間違えた」「なんとなく正解した」「わからなかった」問題。印をつけたり、ふせんを貼ったりしながら進めましょう。

第3章

出題傾向&学習ポイント

2024年度からの介護保険法等改正の

介護保険法は、健康保険法や地方税法などの関連する法律とともに、一括改正されました。主な改正点をおさえておきましょう。

「全世代対応型の持続可能な社会保障制度を構築するための健康保険法等の一部を改正する法律（令和５年５月１９日公布、一部を除き令和６年４月１日施行）**」のポイント**

全世代対応型の持続可能な社会保障制度を構築するため、①出産育児一時金に係る後期高齢者医療制度からの支援金の導入、②後期高齢者医療制度における後期高齢者負担率の見直し、③前期財政調整制度における報酬調整の導入、④医療費適正化計画の実効性の確保のための見直し、⑤かかりつけ医機能が発揮される制度整備、⑥市町村による介護情報の収集・提供等に係る事業の創設等の措置を講ずる。

介護サービスを提供する事業所等における生産性の向上

1）都道府県は、介護保険事業の運営について助言や援助をする場合、事業所などにおいて生産性の向上（業務の効率化、介護サービスの質の向上など）への取り組みが行われるよう努めなければなりません。また、都道府県介護保険事業支援計画においても、生産性の向上に資する事業に関する事項について定めるように努めます。

2）市町村は、市町村介護保険事業計画において、都道府県と連携した取り組みに関する事項について定めるように努めます。

複合型サービスの定義の見直し

訪問看護および小規模多機能型居宅介護の組み合せにより提供されるサービスについて、その内容が明確化されました。

地域包括支援センターの業務の見直し

指定介護予防支援事業者の対象が拡大され、指定居宅介護支援事業者も申請できることになりました。また、地域包括支援センター

ポイントをCHECK!!

の設置者は、指定居宅介護支援事業者等に、包括的支援事業の総合相談支援業務を委託することができることになりました。

介護サービス事業者経営情報の調査および分析等

1）都道府県知事は、介護サービス事業者について調査および分析を行い、その内容を公表するよう努めます。
2）介護サービス事業者は、経営情報を当該事業所または施設の所在地を管轄する都道府県知事に報告しなければなりません。
3）厚生労働大臣は、情報を収集・整理・分析し、国民にインターネットなどを通じて迅速に提供できるよう、必要な施策を講じます。

第1号被保険者の保険料率が原則13段階に

保険料率は、被保険者の所得水準に応じた所得段階別に設定されます。所得段階は13段階が基本となりました（従来は9段階）。※1

福祉用具貸与と特定福祉用具販売の選択制の導入

一部の福祉用具について、貸与と販売のいずれかを選択することが可能となりました。これにより、下記種目が特定福祉用具販売の給付対象に追加されました（告示改正）。※1

○スロープ（固定用スロープ）
○歩行器（歩行車を除く）
○歩行補助杖（カナディアンクラッチ、ロフストランドクラッチ、プラットホームクラッチ、多点杖）

訪問リハビリテーション事業所みなし指定範囲の拡充

介護老人保健施設および介護医療院の開設許可をもって、（介護予防）訪問リハビリテーション事業所の指定があったものとみなされます。※2

※1　令和6年度より　※2　令和6年6月より

介護支援分野

1

〈基本視点〉

介護保険制度導入の背景等

介護保険制度がなぜ導入されたのか、その背景となる基本視点について、よく理解しておきましょう。高齢化の進展などについては、数値の暗記ではなく傾向を理解しておくことが大切です。

1 高齢化の進展と要介護高齢者

高齢社会の進展とともに、介護が必要な高齢者が増加している

- わが国では、特に75歳以上の後期高齢者が著しく増加しています。
- 要介護者等である高齢者は、高齢者人口の約18.9%を占めています（令和4年3月末現在）。加齢とともに要介護者等になる割合が高くなり、85歳以上では、6割近くが要介護者等となります。

制度施行後の要介護者等の増加

- 要介護者等は、介護保険制度施行時に比べて大幅に増加（約256万人〔平成12年度〕→約690万人）。（厚生労働省「令和3年度介護保険事業状況報告」）

2 従来の制度の問題と介護保険制度の創設

- 介護保険制度創設前は、高齢者への介護サービスは老人福祉制度と老人保健（医療）制度の２つの制度で対応していましたが、両制度では利用手続きや利用者負担が異なり、利用しにくいものとなっていました。
- 従来の老人福祉制度では措置制度（市町村が行政処分としてサービスの必要性を判断し、決定するしくみ）、老人保健制度では社会的入院（介護を要する高齢者が社会的事情から一般病院に長期入院すること）の問題点などが指摘されていました。
- 措置制度の問題点は、利用者がサービスを選択しづらい、競争原理が働かずサービス内容が画一的、高所得者層ほど重い負担になる、所得調査が必要なため、心理的な抵抗感があるなどです。
- 社会的入院の問題点は、医療保険者の財源圧迫、療養環境が不適切などです。
- 介護保険制度は、従来の制度の問題点を解決するため、２つの制度を再編し、社会保険方式による新たな制度として創設されました。

Key Point ◆介護保険制度のねらい

利用者自らの選択で、利用者と事業者や施設との契約により、ニーズに応じた介護サービスを選ぶことができる利用者本位の制度

○ケアマネジメントを導入し、総合的・一体的・効率的なサービスを提供

3 介護保険制度創設後の変遷

◆介護保険制度創設後の改正の主なポイント

年	主なポイント
2005年	●新予防給付、地域支援事業・地域包括支援センターの創設 ●地域密着型サービスの創設
2011年	●介護給付に定期巡回・随時対応型訪問介護看護、複合型サービス（看護小規模多機能型居宅介護）を創設 ●介護予防・日常生活支援総合事業を創設
2014年	●市町村による地域ケア会議の設置努力義務を法定化 ●介護予防訪問介護・介護予防通所介護を地域支援事業に移行 ●特別養護老人ホームの入所対象を原則要介護３以上に ●一定以上所得がある第１号被保険者の利用者負担割合を２割に

2017年	●介護医療院を創設　●共生型サービスの創設 ●２割負担者のうち、特に所得の高い者を３割負担に
2020年	●地域共生社会の実現 ●認知症施策の総合的な推進、介護サービス提供体制の整備等の推進、医療・介護のデータ基盤の整備の推進、介護人材確保および業務効率化の取り組みの強化
2023年	●介護サービス事業所等における生産性向上への取り組み ●看護小規模多機能型居宅介護のサービス内容の明確化 ●地域包括支援センターの業務の見直し（指定居宅介護支援事業者が指定介護予防支援事業者の指定を受けることが可能に） ●介護サービス事業者経営情報を公表する制度の創設 ●地域支援事業に介護情報等の収集・提供等を行う事業の創設（施行は公布日から４年以内の政令で定める日）

試験ではこう問われる！

2020（令和２）年の介護保険法改正について正しいものはどれか。２つ選べ。

①　国及び地方公共団体は、地域住民が相互に人格と個性を尊重し合いながら、参加し、共生する地域社会の実現に資するよう努めなければならないこととされた。

✕２　市町村は、地域ケア会議を置くように努めなければならないこととされた。　2014（平成26）年改正

✕３　高齢者と障害児・者が同一の事業所でサービスを受けやすくするための共生型サービスが創設された。　2017（平成29）年改正

④　厚生労働大臣は、要介護者等に提供されるサービスの内容について調査及び分析を行い、その結果を公表するよう努めるものとされた。

✕５　一定以上の所得がある第１号被保険者の介護給付及び予防給付の利用者負担割合が３割とされた。　2014（平成26）年改正　２割負担に

〈R3－1〉　正答　１４

介護支援分野

2

〈基本視点〉

介護保険制度の目的と理念

介護保険制度は、これまでの高齢者介護の問題点を整理して再編成し、社会保険のしくみを使った制度として2000（平成12）年に創設されました。制度のねらいや特徴のほか、法律に規定された保険給付の理念についてもおさえておきましょう。

1 介護保険制度創設の目的（第１条）

- 要介護者等が、その有する能力に応じて「自立した日常生活」を送ることができるように、国民の「共同連帯の理念」に基づいた制度を設け、必要な保健医療サービスおよび福祉サービスの給付を行い、国民の保健医療の向上および福祉の増進を図ります。

2 介護保険制度の理念（第２条）

社会保険制度として創設された介護保険制度では、被保険者が要介護状態・要支援状態になったときに必要な保険給付を行います。

Key Point ◆保険給付の理念

○要介護状態等の軽減または悪化の防止のために行う
○医療との連携に十分配慮する
○被保険者の心身の状況や環境に応じて、被保険者の選択により、適切なサービスが多様な事業者・施設から、総合的・効率的に提供されるよう配慮して行う
○保険給付の内容および水準は、被保険者が要介護状態になっても、可能なかぎり居宅において、その有する能力に応じ自立した日常生活を営むことができるように配慮されなければならない

3 国民の努力および義務

- 国民は、自ら要介護状態にならないように、常に健康の保持増進に努めます。また、要介護状態となった場合でも、進んでリハビリテーションなどの適切なサービスを利用して、能力の維持向上に努めることが求められています。
- 共同連帯の理念に基づき、国民は、介護保険事業に必要な費用を公平に負担する義務を負っています。

介護保険制度の考え方として適切なものはどれか。3つ選べ。

① 要介護者の尊厳を保持し、自立した日常生活を営むことを目指す。
② 高齢者の介護を社会全体で支える。
~~3~~ 認知症高齢者の施設入所を促進する。 ……居宅における自立支援を重視
~~4~~ 要介護者へのサービスを画一的な内容にする。 ……心身の状況や環境などを考慮
⑤ 保険給付は、多様な事業者又は施設から、総合的かつ効率的にサービスが提供されるよう配慮する。

〈R4－1〉 正答 1 2 5

介護支援分野 3

〈制度〉

社会保険制度としての介護保険制度

わが国における５つの社会保険制度の内容や短期保険、地域保険といった社会保険の分類は、基本的な知識としておさえておきましょう。また、介護保険制度の基本的な事項である国民の義務なども併せて理解をしておきましょう。

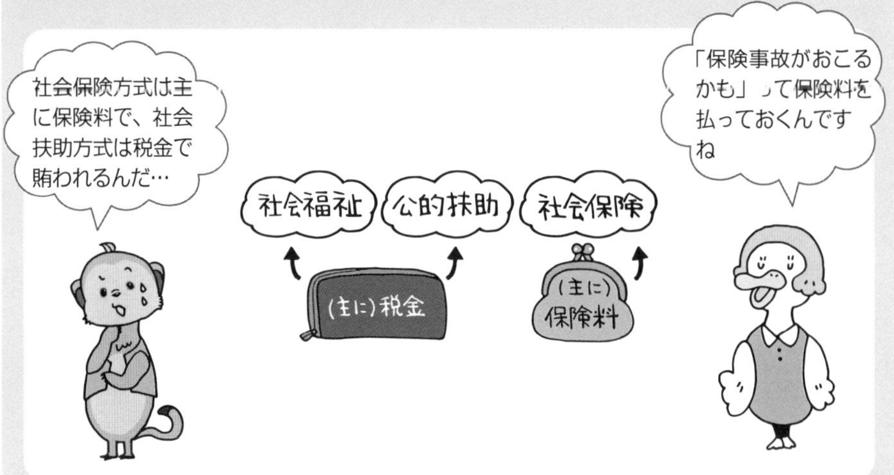

1 社会保険制度

社会保障は、財源の調達方法により、社会保険方式（主に保険料）と社会扶助方式（主に税金。公的扶助や社会福祉）にわけられます。

- 社会保険では、一定の保険事故が起こった際に保険給付が行われます。
- 介護保険は、３年を一期として収支バランスを図る短期保険です（長期にわたり収支のバランスを図るのは、厚生年金保険などの長期保険）。
- 介護保険は、区域内の住民を被保険者とする地域保険です（組織に雇用されている人を被保険者とするのは、健康保険などの職域保険）。

Key Point ◆社会保険の種類①

医療保険	業務外の事由による被保険者およびその被扶養者の疾病、負傷などを保険事故として、医療の現物給付を主に行う
介護保険	要介護状態・要支援状態を保険事故とし、介護サービスの現物給付を主に行う

Key Point ◆社会保険の種類②

年金保険	老齢、障害、死亡を保険事故として、所得を保障し、年金の支給（金銭給付）を主に行う
雇用保険	失業などを保険事故とし、必要な給付を行う
労働者災害補償保険	業務上の事由による疾病、負傷、障害、死亡などを保険事故とし、医療の現物給付と所得保障のための年金の支給（金銭給付）を主に行う

試験ではこう問われる！

社会保険方式の特徴として正しいものはどれか。3つ選べ。

1 国民の参加意識や権利意識を確保し、加入者に受給権を保障する仕組みである。

2 リスク分散の考え方に立つことで、社会保障の対象を一定の困窮者から国民全体に拡大した普遍的な制度となっている。

~~3~~ 社会保険制度の財源は、原則として公費である。

主に保険料で一部が公費

4 保険料を納付しない者や制度への加入手続をとらない者は、給付を受けられないことがある。

~~5~~ 給付は、受給者があらゆる資産を活用することを要件として行われる。

社会扶助方式（生活保護の要件）

〈R3－3〉 正答 1 2 4

介護支援分野

4 〈制度〉市町村、国、都道府県などの役割と事務

介護保険事業の実施主体となるのは、保険者である市町村です。保険者としての事務とは何か、市町村を運営面・財政面で支える国や都道府県の役割とは何かをよく理解しておくことが大切です。

1 市町村の役割と事務

市町村および特別区（以下、市町村）は、介護保険の保険者として、中心となって介護保険事業を実施します。

- 被保険者の資格管理に関する事務。
- 介護認定審査会の設置など、要介護認定・要支援認定に関する事務。
- 保険給付（種類支給限度基準額の設定など）に関する事務。
- 指定居宅介護支援事業者、指定地域密着型サービス事業者、指定地域密着型介護予防サービス事業者、指定介護予防支援事業者の指定基準の設定や指定、指導監督など事業者・施設に関する事務。
- 地域支援事業および保健福祉事業に関する事務。
- 地域包括支援センターを設置。
- 市町村介護保険事業計画の策定・変更に関する事務。
- 第1号被保険者の保険料率の設定、普通徴収など保険料に関する事務。

◆被保険者と市町村（保険者）、都道府県や国などのかかわり

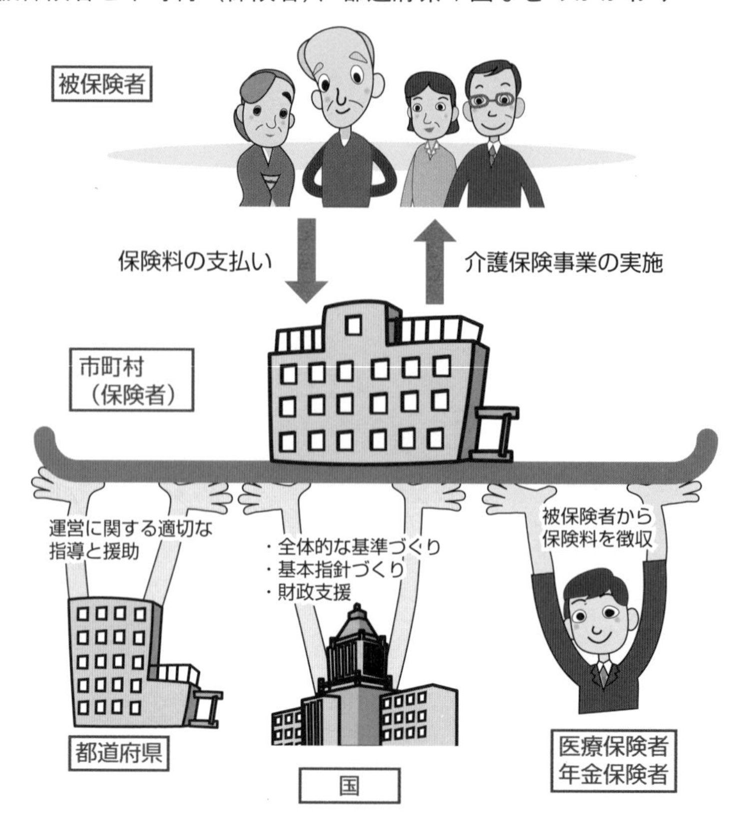

2 国の役割と事務

国は、保健医療サービス・福祉サービスの提供体制の確保などについて必要な措置を講じます。

- 法律の制定、第２号被保険者負担率の設定、介護報酬・区分支給限度基準額の設定など制度の基本的な枠組みを設定。
- 調整交付金の交付など財政支援に関する事務。
- 事業者、施設、都道府県、市町村、国保連への指導・監督。
- 医療保険者や支払基金に対する報告徴収や実地検査。

3 都道府県の事務

都道府県は、介護保険事業の運営が健全・適切に行われるように、必要な助言や援助を行います。

Key Point ◆事業者・施設に関する事務

指定居宅サービス事業者、指定介護予防サービス事業者、介護保険施設などの指定基準の設定、指定、指導監督など

- 介護認定審査会の共同設置などの支援や、介護保険審査会の設置・運営などを行う。
- 介護サービス情報の公表に関する事務。
- 介護支援専門員の登録などに関する事務。
- 財政安定化基金の設置・運営など財政支援に関する事務。

あわせてチェック 国・地方公共団体の責務など

- 被保険者が住み慣れた地域で、能力に応じて自立した生活を営むため、介護サービスに関する施策、介護予防のための施策、地域における自立した日常生活の支援のための施策を、医療と居住に関する施策との有機的な連携を図りつつ、包括的に推進するよう努めます。また、施策の推進にあたり、障害者その他の者の福祉に関する施策との有機的な連携を図るよう努めなければなりません。
- 地域住民が相互に人格と個性を尊重し合い、参加・共生する地域社会の実現に努めなければなりません。
- 認知症に関する施策の総合的な推進等における努力義務
①認知症に関する知識の普及および啓発、②研究機関、医療機関、介護サービス事業者と連携し、認知症の予防などについての調査研究の推進およびその成果の普及・活用・発展、③地域における認知症の人への支援体制の整備、④認知症の人やその家族の意向の尊重、認知症の人が地域社会において尊厳を保持し共生できるようにすること

4 医療保険者・年金保険者の事務

第2号保険料は医療保険者、第1号保険料は年金保険者が徴収する

- 第2号被保険者の保険料は、医療保険料の一部として、医療保険者が徴収します。
- 第1号被保険者の保険料は、年金保険者が年金の支払い時に、介護保険料分を天引きして徴収（特別徴収）し、市町村に納入します。

あわせてチェック　地域包括ケアシステムと地域共生社会

高齢者に、医療・介護・介護予防・住まい・生活支援サービスを切れ目なく提供する地域包括ケアシステムの実現に向けた取り組みは、2017（平成29）年の法改正で、より一層強化されました。また、2020（令和2）年には、高齢者を含む生活上の困難を抱えるさまざまな人にも対応できる地域共生社会の実現に向けて、社会福祉法などが一括で改正されています。

試験ではこう問われる!

介護保険制度における都道府県の事務として正しいものはどれか。2つ選べ。

1. 財政安定化基金の設置
2. 地域支援事業支援交付金の交付 → 社会保険診療報酬支払基金が市町村に交付する
3. 第2号被保険者負担率の設定 → 国が政令で設定する（3年ごと）
4. 介護保険審査会の設置
5. 介護給付費等審査委員会の設置 → 国民健康保険団体連合会（国保連）が設置する

〈R2－4〉　正答　1 4

〈制度〉

被保険者

被保険者の要件、適用除外、住所地特例などについての出題が予想されます。傾向、要点を一通りおさえて得点源としましょう。

1 介護保険の被保険者

- 被保険者は、第１号被保険者と第２号被保険者にわけられます。

Key Point

○第１号被保険者は、市町村の区域内に住所のある65歳以上の人

○第２号被保険者は、市町村の区域内に住所のある40歳以上65歳未満の医療保険に加入している人

- 一般に、「住所のある」とは住民基本台帳上に住所があることを指します。
- 適法に３か月を超えて在留するなどの外国人には、住民基本台帳法が適用され、住所要件を満たします。それ以外の被保険者の資格要件を満たしていれば、被保険者となります。

2 介護保険の適用除外

適用除外施設に入所（入院）している人については、当分の間、介護保険の被保険者となりません。

Key Point ◆主な適用除外施設

- ○障害者総合支援法の支給決定（生活介護および施設入所支援）を受けた指定障害者支援施設
- ○医療型障害児入所施設（児童福祉法の規定）
- ○独立行政法人国立重度知的障害者総合施設のぞみの園法に規定する福祉施設
- ○国立ハンセン病療養所等（ハンセン病問題の解決の促進に関する法律の規定）
- ○救護施設（生活保護法の規定）

3 被保険者資格の取得と喪失

介護保険の被保険者資格は、強制適用される

介護保険では、被保険者の適用要件となる事実が発生した日をもって、何ら手続きを要せず資格を取得します。これを強制適用といいます。

Key Point ◆資格の取得と喪失

	資格の取得日	資格の喪失日
年齢到達	○医療保険加入者である住民が40歳に達した日（誕生日の前日）	
住所移転	○40歳以上65歳未満の医療保険加入者または65歳以上の人が市町村の住民になった日	○被保険者が市町村の住民でなくなった日の翌日
適用除外	○適用除外施設の入所者が退所（退院）した日	○適用除外施設に入所した日の翌日

医療保険加入	○40歳以上65歳未満の医療保険未加入者が医療保険に加入した日	○第2号被保険者が医療保険加入者ではなくなった日
	○40歳以上65歳未満の医療保険未加入者が65歳になった日（誕生日の前日）	

4 被保険者証

- 被保険者証の様式は全国一律です。
- 第1号被保険者は、65歳到達月に全員に交付されますが、第2号被保険者は、要介護認定・要支援認定を申請した人か交付の求めがあった人に交付されます。
- 被保険者資格を失ったときなどにはすみやかに被保険者証を市町村に返還します。

5 住所地特例

住所地である市町村が保険者となるのが原則だが、その住所地主義の例外として住所地特例が設けられた

被保険者が住所地特例対象施設へ入所するため施設のある市町村に住所を変更した場合は、保険者は変更前の市町村のまま変わりません。

Key Point ◆住所地特例対象施設

①介護保険施設
（介護老人福祉施設、介護老人保健施設、介護医療院）
②特定施設
（有料老人ホーム、軽費老人ホーム、養護老人ホームで、地域密着型特定施設でないもの）
③養護老人ホーム（老人福祉法上の措置による入所の場合）

◆住所地特例

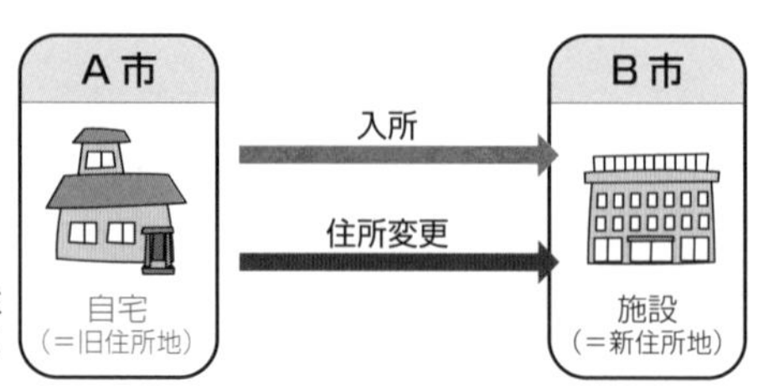

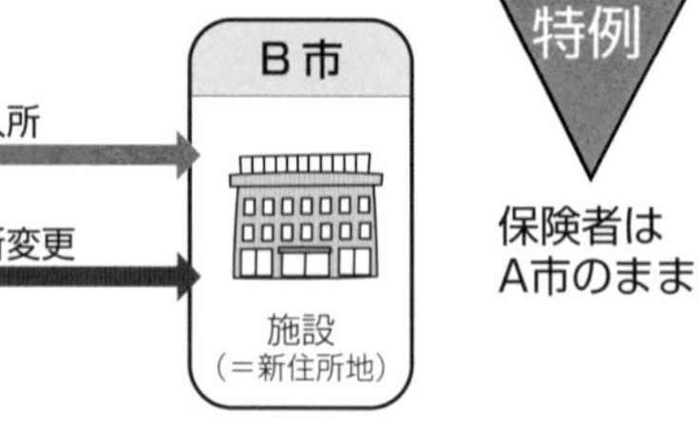

自宅から別の市の住所地特例対象施設に入所（入居）した

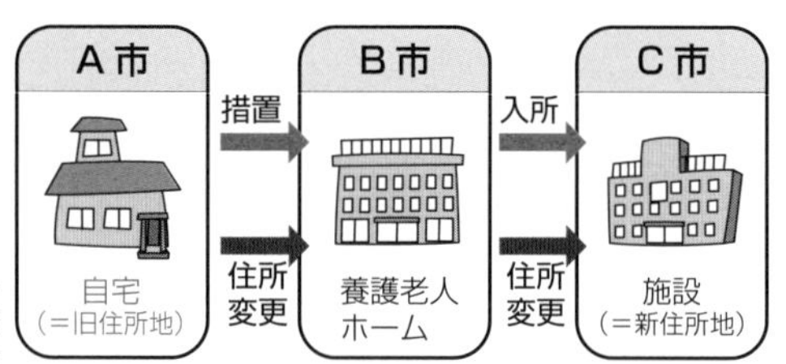

養護老人ホームから住所地特例対象施設に入所（入居）した

試験ではこう問われる！

介護保険の被保険者資格の取得及び喪失について正しいものはどれか。2つ選べ。

① 医療保険加入者が40歳に達したとき、住所を有する市町村の被保険者資格を取得する。

✕2 第1号被保険者が生活保護の被保護者となった場合は、被保険者資格を喪失する。

生活保護を受給しても被保険者資格は喪失しない

✕3 入所前の住所地とは別の市町村に所在する養護老人ホームに措置入所した者は、その養護老人ホームが所在する市町村の被保険者となる。

住所地特例が適用される

✕4 居住する市町村から転出した場合は、その翌日から、転出先の市町村の被保険者となる。

住所を有した日から

⑤ 被保険者が死亡した場合は、その翌日から、被保険者資格を喪失する。

〈R4－5〉 正答 1 5

介護支援分野

6 〈制度〉要介護認定・要支援認定

要介護状態の定義や特定疾病の種類、申請の代行や認定調査の委託、認定の効力や介護認定審査会の委員や審査・判定など、一通り要点をおさえた学習をしておくことが大切です。

1 要介護認定と要支援認定

- 被保険者が介護保険の給付を受けるためには、市町村に申請をし、被保険者が要介護状態にある要介護者であることについて、要介護認定を受ける必要があります。要支援認定も同様です。
- 第２号被保険者は、その要介護状態または要支援状態の原因が初老期における認知症、脳血管疾患など16の特定疾病でなければ、認定されません。

◆申請から認定までの流れ

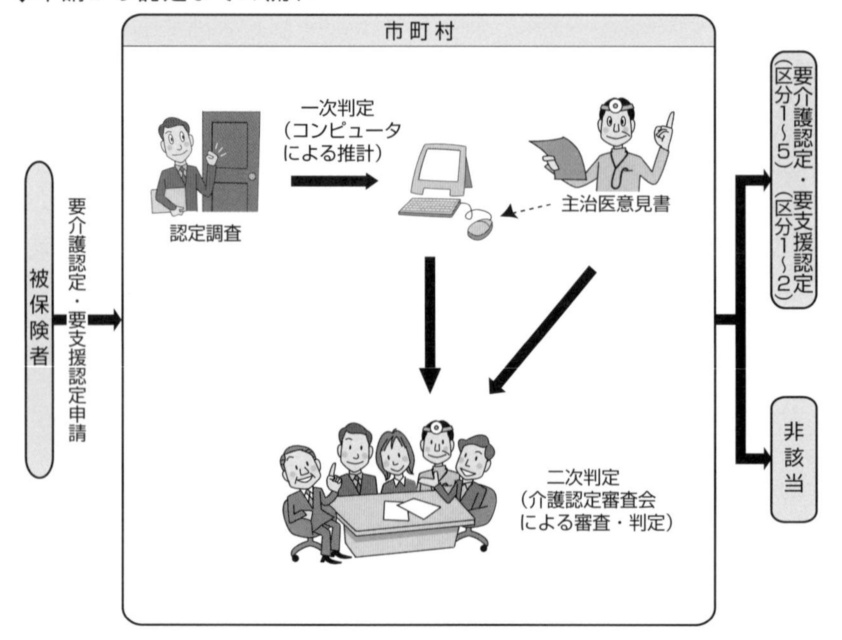

2 申請の方法と申請代行

申請は、被保険者やその家族などが行うが、申請代行も可能

● 被保険者は、申請書に必要事項を記入し、介護保険の被保険者証（交付を受けていない第２号被保険者の場合は不要）を添付して、市町村の窓口に申請します。また、第２号被保険者は、医療保険の被保険者証を提示します。

Key Point ◆申請代行できる者

○地域包括支援センター

○指定居宅介護支援事業者、地域密着型介護老人福祉施設、介護保険施設（指定基準の一定の規定に違反したことのない者）

○社会保険労務士法に基づく社会保険労務士

3 認定調査

指定市町村事務受託法人などに委託が可能。指定居宅介護支援事業者などには、更新認定・変更認定にかぎり委託が可能

- 申請を受けた市町村の職員は、被保険者の居宅を訪問して、認定調査票（概況調査、基本調査、特記事項）を用いて認定調査を行います（遠隔地に住んでいる被保険者には、他市町村への嘱託が可能）。
- 認定調査票は全国一律で、基本調査が一次判定に用いられます。

Key Point ◆市町村が認定調査を委託できる者

すべて	指定市町村事務受託法人
更新認定 変更認定 のみ	○指定居宅介護支援事業者、地域密着型介護老人福祉施設、介護支援専門員、介護保険施設（指定基準などの一定の規定に違反したことのない者） ○地域包括支援センター

4 主治医等による意見

- 市町村は、認定調査と同時に被保険者が申請書に記載した主治医に、主治医意見書への記載を求めます。
- 主治医がいない場合は、市町村の指定する医師や市町村の職員である医師が診断し、主治医意見書を作成します。
- 市町村は、被保険者が正当な理由なく市町村の指定する医師などの診断に応じないときは、申請を却下することができます。
- 主治医意見書は、主に介護認定審査会での二次判定に用いられます。

5 一次判定

認定調査の基本調査の結果をコンピュータに入力して要介護認定等基準時間を算出、一次判定結果（非該当〔自立〕、要支援１、２、要介護１～５）が示されます。

6 介護認定審査会による二次判定

- 介護認定審査会では、必要に応じて、被保険者や家族、主治医、認定調査員、その他の関係者から意見を聴くことができます。
- 介護認定審査会は、審査・判定結果を市町村に通知し、通知の際、必要のあるときは、市町村に意見を述べることができます。

◆介護認定審査会の意見

①要介護状態等の軽減または悪化の防止のために必要な療養に関する事項
②サービス（要支援者では総合事業を含む）の適切・有効な利用などに関する留意事項
③認定有効期間の短縮や延長

※①の意見に基づき、市町村はサービスの種類の指定を行うことができる

あわせてチェック　**介護認定審査会**

- **設置**：市町村が設置。複数市町村の共同設置、広域連合・一部事務組合による設置、都道府県や他市町村への審査・判定業務の委託も認められます。
- **委員**：保健・医療・福祉の学識経験者で市町村長が任命。任期は２年（市町村条例により、２年を超え３年以下の期間で定めることもできる）。
- **合議体**：５人程度で構成される合議体で議決（過半数の委員出席による過半数の議決）。

7 市町村の認定

- 市町村は、介護認定審査会の審査･判定結果に基づき、認定を行います。認定の効力は申請日に遡（さかのぼ）ります。
- 該当する要介護状態区分等と介護認定審査会の意見（述べられている場合）を、被保険者証に記載し、認定結果を通知するとともに被保険者証を返還します。

8 サービスの種類の指定

- 市町村は、介護認定審査会による療養に関する事項が述べられていた場合、その意見に基づきサービスの種類の指定ができます。サービスの指定があると、指定された以外のサービスについては、保険給付が行われません。
- 被保険者は、市町村に対して、指定されたサービスの種類について変更の申請を行うことができます。

9 不服審査

被保険者は、市町村の認定に関する決定内容に不服がある場合、都道府県に設置された介護保険審査会に対して、審査請求をすることができます。

10 更新認定と認定の有効期間

- 被保険者は、認定の効力が途切れないように、有効期間満了日の60日前から満了日までの間に更新認定の申請を行うことができます。
- 認定の有効期間は、介護認定審査会の意見に基づき、市町村が必要と認める場合は、短縮や延長が認められています。

11 認定区分の変更の認定

Key Point ◆被保険者による変更申請と職権による変更認定

被保険者による変更申請	認定を受けた被保険者は、有効期間満了日前でも、要介護状態区分等の変更の認定を市町村に申請することができる
職権による認定区分の変更	市町村は、被保険者の介護の必要の程度が低下し、より軽度の区分に変更する必要がある場合は、被保険者の申請を待たず職権によって要介護状態区分等の変更の認定をすることができる

⑫ 住所移転時の認定

- 要介護認定等を受けた被保険者が住所を移転して、保険者である市町村が変わる場合は、新しい市町村においてあらためて認定を受けます。
- ただし、被保険者が移転前の市町村から認定について証明する書類の交付を受け、その書面を添えて移転先の市町村に認定の申請（転入日から14日以内）を行うことで、新しい市町村での審査・判定は省略されます。

要介護認定について正しいものはどれか。2つ選べ。

×1 更新認定の申請ができるのは、原則として、有効期間満了日の30日前からである。

60日前から

◯2 新規認定の効力は、申請日にさかのぼって生ずる。

×3 介護認定審査会は、申請者が利用できる介護サービスの種類を指定することができる。

介護認定審査会ではなく市町村

×4 要介護認定の処分の決定が遅れる場合の処理見込期間の通知は、申請日から60日以内に行わなければならない。

申請日から30日以内に理由とともに通知

◯5 市町村が特に必要と認める場合には、新規認定の有効期間を3月間から12月間までの範囲内で定めることができる。

〈R1－23〉 正答 2 5

〈制度〉

7 保険給付

保険給付に関連する問題は、保険給付の内容、利用者負担、現物給付と償還払い、他制度との保険給付の調整など大変幅広いものとなっています。

1 保険給付の内容

介護保険の保険給付には以下の3つがあります。

①要介護者に対する介護給付

②要支援者に対する予防給付

③市町村が独自に定める市町村特別給付（要介護者・要支援者対象）

また、市町村は、介護予防を目的とした地域支援事業（➡P.88）を行います。このほか、独自に保健福祉事業も実施することができます。

◆保険給付の種類

	介護給付	予防給付	給付方式
サービス利用に関する給付	●居宅介護サービス費※1 指定居宅サービス事業者が行う指定居宅サービスに対する給付	●介護予防サービス費※1 指定介護予防サービス事業者が行う指定介護予防サービスに対する給付	現物給付 (9割※2)
	●居宅介護福祉用具購入費	●介護予防福祉用具購入費	償還払い (9割※2)
	●居宅介護住宅改修費	●介護予防住宅改修費	
	●地域密着型介護サービス費※1 指定地域密着型サービス事業者が行う指定地域密着型サービスに対する給付	●地域密着型介護予防サービス費※1 指定地域密着型介護予防サービス事業者が行う指定地域密着型介護予防サービスに対する給付	現物給付 (9割※2)
	●施設介護サービス費※1 介護保険施設の入所者への指定施設サービスに関する給付		
	●居宅介護サービス計画費※1 指定居宅介護支援事業者が行う指定居宅介護支援に対する給付	●介護予防サービス計画費※1 指定介護予防支援事業者が行う指定介護予防支援に対する給付	現物給付 (10割)
利用者負担に関する給付	●高額介護サービス費	●高額介護予防サービス費	償還払い
	●高額医療合算介護サービス費	●高額医療合算介護予防サービス費	
	●特定入所者介護サービス費※1	●特定入所者介護予防サービス費※1	現物給付

※1　特例サービス費が認められるもの
※2　一定以上の所得のある利用者は8割または7割

あわせてチェック　**特例○○サービス費**

緊急やむを得ない理由で認定申請前にサービスを受けたり、緊急やむを得ない理由で被保険者証を提示せずにサービスを受けたりするなど、現物給付の要件を満たしていなくても、市町村が認めれば償還払いで給付されます（例：特例居宅介護サービス費）。

2 サービスの種類

居宅サービス（介護予防サービス）	地域密着型サービス（地域密着型介護予防サービス）
①訪問介護 ②訪問入浴介護（介護予防訪問入浴介護） ③訪問看護（介護予防訪問看護） ④訪問リハビリテーション （介護予防訪問リハビリテーション） ⑤居宅療養管理指導 （介護予防居宅療養管理指導） ⑥通所介護 ⑦通所リハビリテーション （介護予防通所リハビリテーション） ⑧短期入所生活介護 （介護予防短期入所生活介護） ⑨短期入所療養介護 （介護予防短期入所療養介護） ⑩特定施設入居者生活介護 （介護予防特定施設入居者生活介護） ⑪福祉用具貸与（介護予防福祉用具貸与） ⑫特定福祉用具販売 （特定介護予防福祉用具販売）	①定期巡回・随時対応型訪問介護看護 ②夜間対応型訪問介護 ③地域密着型通所介護 ④認知症対応型通所介護 （介護予防認知症対応型通所介護） ⑤小規模多機能型居宅介護 （介護予防小規模多機能型居宅介護） ⑥認知症対応型共同生活介護 （介護予防認知症対応型共同生活介護） ⑦地域密着型特定施設入居者生活介護 ⑧地域密着型介護老人福祉施設入所者生活介護 ⑨複合型サービス （看護小規模多機能型居宅介護）
住宅改修・介護予防住宅改修	
施設サービス	
介護福祉施設サービス（指定介護老人福祉施設への入所） 介護保健施設サービス（介護老人保健施設への入所） 介護医療院サービス（介護医療院への入院）	
居宅介護支援・介護予防支援	

3 利用者負担

利用者が介護保険のサービスを利用した場合、原則としてサービス費用の１割または２割（2018〔平成 30〕年８月から、２割負担者のうち、特に所得の高い層は３割）が利用者負担となり、残りが保険給付されます（居宅介護サービス計画費や介護予防サービス計画費は、自己負担なし）。

◆利用者負担の範囲

（網掛け）：利用者負担部分

←サービスの費用→

←介護報酬の対象→

居宅介護サービス費等 施設介護サービス費等 サービス費用の定率負担	居住費・滞在費・宿泊費	食費	その他の日常生活費	特別なサービスの費用

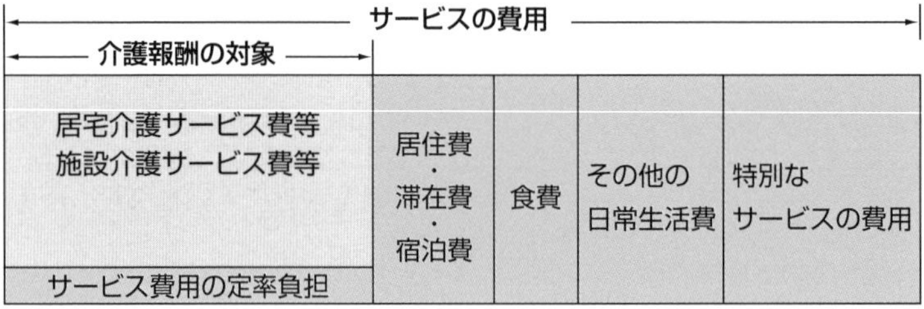

あわせてチェック　日常生活費〈おむつ代〉

おむつ代は、短期入所サービス、地域密着型介護老人福祉施設入所者生活介護、施設サービスでは保険給付の対象となります。

4 現物給付と償還払い

介護保険では、主に現物給付のしくみがとられている

- 居宅介護サービス費、地域密着型介護サービス費など（P.68 表）の保険給付は、一定の要件を満たした場合には、利用者に代わり事業者や施設に直接支払われ（法定代理受領）、利用者は利用時に１割または２割（または３割）を支払う現物給付でサービスを受けることができます。
- 福祉用具購入費、住宅改修費、高額介護サービス費、高額医療合算介護サービス費（これらの予防給付も同様）については、初めに 10 割を払い、あとで９割または８割（または７割）の払い戻しを受ける償還払いとなります。

5 利用者負担に関する給付

Key Point ◆給付内容　（要支援者を対象とした予防給付も同様）

給付名	対象範囲	内容
高額介護サービス費	要介護者	1か月分の定率の自己負担額が所得に応じた負担上限額を超えた場合に、超えた分を償還払いで給付 ※福祉用具購入費・住宅改修費は対象外
高額医療合算介護サービス費	要介護者	1年間の介護サービス利用者負担額と各医療保険における自己負担額の合計額が一定の上限額を超えた場合に、超えた分を償還払いで給付
特定入所者介護サービス費	要介護者のうち低所得者	施設サービス、地域密着型介護老人福祉施設入所者生活介護、短期入所生活介護、短期入所療養介護を利用した場合に、1か月分の食費、居住費（滞在費）の負担限度額を超える費用を現物給付

6 社会福祉法人等による負担軽減

低所得者に対し、社会福祉法人等が一定の福祉サービスを提供する場合、サービスの定率負担、食費、居住費（滞在費）、宿泊費が軽減されます。

7 特別な事情による定率負担の減免

市町村は、災害などで特別な事情があり、定率の自己負担が困難な利用者に対しては、減額または免除できます。

8 保険給付の制限

被保険者が刑事施設などに拘禁されている期間は、保険給付は行われません。また市町村は、故意の犯罪行為・重大な過失などで要介護状態等になったり、市町村による文書の提出の求めなどに応じない者などには、保険給付の全部または一部を行わないことができます。

9 区分支給限度基準額

- 在宅の介護サービスの一部には、支給限度基準額が設定され、その範囲内で保険給付が行われ、超えた分は全額利用者の負担となります。
- 介護給付では、居宅サービス・地域密着型サービス（一部を除く）は、居宅サービス計画に基づき利用し、居宅サービス等区分としてまとめられ、1か月を単位に、要介護度ごとに上限額（区分支給限度基準額）が定められています（予防給付は、介護予防サービス等区分による上限額）。

あわせてチェック **区分支給限度基準額の設定されないサービス**

- （介護予防）居宅療養管理指導
- 介護予防特定施設入居者生活介護、短期利用を除く特定施設入居者生活介護・地域密着型特定施設入居者生活介護
- 短期利用を除く（介護予防）認知症対応型共同生活介護
- 居宅介護支援・介護予防支援
- 地域密着型介護老人福祉施設入所者生活介護
- 施設サービス

- 福祉用具購入費支給限度基準額（同一年度で10万円）、住宅改修費支給限度基準額（同一住宅で20万円）がそれぞれ設定されています。

10 市町村独自の支給限度基準額

- 市町村は、独自の支給限度基準額を定めることができます。

Key Point ◆独自の支給限度基準額

種類支給限度基準額	区分支給限度基準額の範囲内で、特定のサービスの種類別の支給限度基準額（種類支給限度基準額）を条例で定める
支給限度基準額の上乗せ	独自の判断で厚生労働大臣が定める支給限度基準額を上回る額を、その市町村の支給限度基準額として条例で定めることができる。財源は1号保険料

11 介護報酬

介護報酬の請求の審査は、国保連に設置される介護給付費等審査委員会が行う

- 介護サービスの費用（介護報酬）は、厚生労働大臣の定める基準に基づき、各サービスの介護給付費単位数表の単位数に、地域差を反映した1単位の単価を掛けて算定します。
- 現物給付請求では、事業者・施設などは、各月分の保険給付などの費用について、通常翌月の10日までに事業所や施設などの所在地の国民健康保険団体連合会（国保連）に請求書、明細書を提出します。国保連では、その請求を審査したうえで、市町村に請求して支払いを受け、それをもって事業者・施設などに支払いをします（請求月の翌月末）。
- 請求の審査は、国保連に設置される介護給付費等審査委員会が行います。

12 介護保険に優先する給付

介護保険に優先する給付は、労働災害や公務災害に対する補償の給付と国家補償的な給付

労働者災害補償保険法、国家公務員災害補償法など労働災害や公務災害に対する補償の給付を行う法律、戦傷病者特別援護法など国家補償的な給付を行う法令の規定により、介護保険の給付に相当するものを受けることができるときは、災害補償関係各法などが優先して適用されます。一定の限度において介護保険による給付は行われません。

13 その他の給付との調整

介護保険の給付と医療保険、保険優先の公費負担医療、障害者総合支援法などの給付とで、内容が重なる場合は、介護保険の給付が優先して適用されます。ただし、他制度固有のサービスは、他制度から給付されます。

14 老人福祉法の措置

①家族の虐待・無視、②認知症などで意思能力が乏しく、かつ本人を代理する家族がいないなどやむを得ない事由がある場合は、老人福祉法に基づき、措置により福祉サービスの提供が行われます。

試験ではこう問われる！

介護保険制度の利用者負担について正しいものはどれか。2つ選べ。

✕ 1 介護給付は、1割負担である。
→ 一定以上の所得のある第1号被保険者は2割または3割（2018年8月から）負担、また居宅介護（予防）支援は利用者負担なし

② 2 高額介護サービス費は、世帯単位で算定する。

✕ 3 短期入所系サービスの滞在費は、1割負担である。
→ 施設サービス、短期入所系サービスにおける食費、居住費、滞在費、宿泊費は全額利用者負担

④ 4 食費は、社会福祉法人による利用者負担額軽減制度の対象となる。

✕ 5 地域支援事業の第1号訪問事業については、利用料を請求できない。
→ 市町村は、サービス内容に応じて利用料を設定し、利用者に請求することができる

〈H27－13〉 正答 2 4

〈制度〉

事業者・施設の指定

都道府県が指定する事業者と市町村が指定する事業者の区別、指定の申請者の要件、指定の特例（みなし指定）、指定の取り消しと効力の停止の要件、都道府県と市町村の連携事項などが特に頻出です。

1 事業者・施設の指定

- サービスを行う事業者・施設の指定は、都道府県知事または市町村長が行います（➡P.76）。指定は原則として申請に基づき、サービスの種類ごと、事業所単位（介護保険施設では施設単位）で行われます。
- なお、都道府県知事が行う指定（指定取り消し、指導監督などを含む）は、所在地が指定都市または中核市である場合は、その指定都市・中核市の市長が行っています。

Key Point ◆事業者の指定と申請者

	事業者・施設		申請者
都道府県知事（指定都市・中核市の市長を含む）が指定（許可）するもの	指定居宅サービス事業者		法人※1
	指定介護予防サービス事業者		
	介護保険施設	指定介護老人福祉施設	老人福祉法上の設置認可を得た入所定員30人以上（※2）の特別養護老人ホームの開設者
		介護老人保健施設※2	地方公共団体、医療法人、社会福祉法人その他厚生労働大臣が定める者
		介護医療院※2	
市町村長が指定するもの	指定地域密着型サービス事業者		法人
	指定地域密着型介護予防サービス事業者		法人
	指定居宅介護支援事業者		法人
	指定介護予防支援事業者		地域包括支援センターの設置者または指定居宅介護支援事業者

※1　病院、診療所、薬局は法人格不要
※2　介護保険法上の開設許可を得る

2 指定がされない場合

申請者が、法人格（病院・診療所・薬局を除く）を有していない、条例に定める人員・設備・運営基準を満たしていない、申請者が適格性・妥当性を有していない（禁錮以上の刑や罰金刑を受けている、指定取り消し処分から５年が経過していない、５年以内にサービスに関して著しく不当な行為や不正を行ったなど）といった一定の欠格事由に該当する場合は、都道府県知事（指定都市・中核市の市長を含む、以下同）・市町村長は指定をしてはならないことになっています。

また、次の場合は、指定をしないことができます。

都道府県知事が指定（許可）をしないことができる場合	○特定施設入居者生活介護の指定申請があった際に、都道府県介護保険事業支援計画に定める必要利用定員総数を超えているなどの場合 ○介護老人保健施設、介護医療院の許可申請があった際に、都道府県介護保険事業支援計画に定める必要利用定員総数を超えているなどの場合
市町村長が指定をしないことができる場合	○認知症対応型共同生活介護、地域密着型特定施設入居者生活介護、地域密着型介護老人福祉施設入所者生活介護の指定申請があった際に、市町村介護保険事業計画に定める必要利用定員総数を超えているなどの場合

指定時の都道府県・市町村の事業計画の整合

- 都道府県知事が特定施設入居者生活介護、介護保険施設の指定（許可）をする際には、市町村介護保険事業計画との調整を図る見地から、市町村長の意見を求めなければなりません。
- 市町村長が地域密着型サービス事業者の指定をする際には、あらかじめ都道府県知事に届出をしなければなりません。
- 都道府県知事は、市町村長が行う地域密着型特定施設入居者生活介護の指定により都道府県介護保険事業支援計画の達成に支障が生じるおそれがある場合は、市町村長に必要な助言・勧告ができます。

3 指定居宅サービス事業者の指定の特例

健康保険法に基づく保険医療機関または保険薬局、介護保険法に基づく介護老人保健施設、介護医療院については、申請をしなくても指定を受けたとみなされる特例（みなし指定）があります。

Key Point ◆指定の特例

事業者・施設	指定の特例のあるサービス（介護予防サービスも同様）
保険医療機関（病院・診療所）	居宅療養管理指導、訪問看護、訪問リハビリテーション 通所リハビリテーション
保険薬局	居宅療養管理指導
介護老人保健施設 介護医療院	短期入所療養介護、訪問リハビリテーション、通所リハビリテーション

4 指定の更新

- 指定には6年間の有効期間が設けられ、指定を受けているすべての事業者・施設は、6年ごとに指定の更新の申請を行います。
- 指定要件を満たさない場合には、都道府県知事または市町村長は、指定の更新をしてはならないことになっています。

5 指定の取り消し・指定の効力の停止

都道府県知事または市町村長は、事業が適正に運営されるよう、事業者等に対し、必要な指導・監督を行います。指定した事業者が人員・設備・運営基準を満たしていない、不正請求をした、など指定取り消しの一定の事由に該当した場合、指定した事業者の指定を取り消すか、期間を定めて指定の全部または一部の効力を停止することができます。この場合、その旨を公示しなければなりません。

また市町村は、都道府県の指定事業者が指定の取り消し事由のいずれかに該当すると認めるときには、都道府県知事に通知しなければなりません。

あわせてチェック **共生型サービス事業者の特例**

- 2018（平成30）年度から、共生型サービスが新設されています。これは、児童福祉法または障害者総合支援法の指定を受けている事業者であれば、介護保険のサービスの指定を受けやすくする特例（逆の場合も同様）です。
- 対象となっているのは、訪問介護、通所介護、地域密着型通所介護、（介護予防）短期入所生活介護です。

6 事業者等の基準

- それぞれのサービス事業ごとに、介護保険事業の目的を達成するための「人員・設備・運営に関する基準」等（次表）が都道府県または市町村の条例に定められます。

- 都道府県または市町村が条例で基準を定める際には、国（厚生労働省令）の「人員・設備・運営に関する基準」等の区分に沿って行います。

7 基準該当サービス・離島などの相当サービスの事業者

指定事業者の基準をすべて満たさない事業者でも、指定事業者と同じ水準のサービスを提供できる場合には、各市町村の判断で保険給付の対象となります（介護保険施設、地域密着型サービス、医療サービスなどは対象外）。

また、離島などで、指定サービスや基準該当サービスの確保が望めない地域では、指定サービスや基準該当サービス以外の、それらに相当するサービスを、各市町村の判断で保険給付の対象とすることができます。

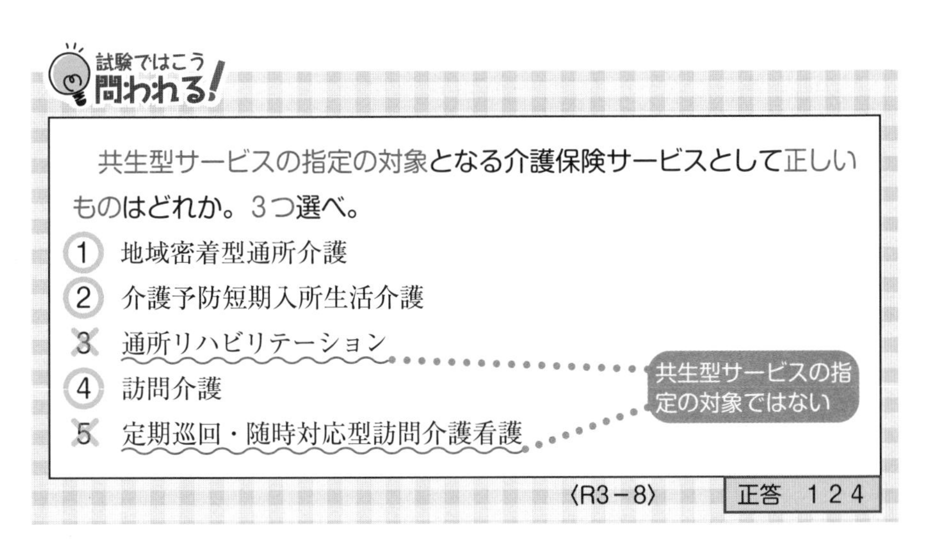

介護支援分野

9 〈制度〉介護保険事業計画

介護保険法の介護保険事業計画の基本指針は、地域における医療及び介護の総合的な確保の促進に関する法律（医療介護総合確保法）に規定する「総合確保方針」に即して定められ、その基本指針に沿って介護保険事業計画が作成されます。

1 国の基本指針と市町村・都道府県の計画

国の基本指針に沿って３年を一期として定められる

- 厚生労働大臣は、医療介護総合確保法に規定する総合確保方針に即して、介護保険事業における保険給付の円滑な実施のための、基本指針を定めます。
- 国の基本指針に沿って、市町村介護保険事業計画、都道府県介護保険事業支援計画が３年を一期として定められます。
- 国は、基本指針を定め、変更する際には、あらかじめ、総務大臣その他関係行政機関の長に協議しなければなりません。

◆国・都道府県・市町村との連携など

国 ⟷	都道府県 ⟷	市町村
厚生労働大臣は、都道府県に対し、都道府県介護保険事業支援計画の作成の手法、その他作成上重要な技術的事項について、必要な助言ができる	都道府県知事は、市町村に対し、市町村介護保険事業計画作成上の技術的事項について、必要な助言ができる	計画を定め、変更する際には、あらかじめ、被保険者の意見を反映させるために、必要な措置を講じる必要がある
	策定または変更した都道府県介護保険事業支援計画は、厚生労働大臣に提出しなければならない	計画を定め、変更する際には、あらかじめ、都道府県の意見を聴き（「定めるべき事項」部分のみ）、策定または変更した市町村介護保険事業計画は、都道府県知事に提出しなければならない

2 老人福祉計画などとの関係

- 市町村介護保険事業計画は老人福祉法に規定される市町村老人福祉計画と、都道府県介護保険事業支援計画は老人福祉法に規定される都道府県老人福祉計画と、それぞれ一体のものとして作成されます。
- その他の計画とも整合性の確保や、調和をとりながら作成されます。

3 介護保険事業計画

Key Point ◆ほかの計画との関係

	市町村 介護保険事業計画	都道府県 介護保険事業支援計画
一体的作成	○市町村老人福祉計画 （老人福祉法）	○都道府県老人福祉計画 （老人福祉法）
整合性の確保	○市町村計画 （医療介護総合確保法）	○都道府県計画 （医療介護総合確保法） ○医療計画（医療法）
調和をとる	○市町村地域福祉計画 （社会福祉法） ○市町村高齢者居住安定確保計画（高齢者住まい法） など	○都道府県地域福祉支援計画 （社会福祉法） ○都道府県高齢者居住安定確保計画（高齢者住まい法） など

4 市町村が計画に定める事項

Key Point ◆市町村が定めるべき事項

○認知症対応型共同生活介護、地域密着型特定施設入居者生活介護、地域密着型介護老人福祉施設入所者生活介護の必要利用定員総数、その他の介護給付等対象サービスの種類ごとの量の見込み

○地域支援事業の量の見込み

○被保険者の地域における自立した日常生活の支援、要介護状態等となることの予防または要介護状態等の軽減や悪化の防止、介護給付等に要する費用の適正化に関し、市町村が取り組むべき施策に関する事項、およびこれらの目標に関する事項

Key Point ◆市町村が定めるよう努める事項

○定めるべき事項の見込み量確保のための方策

○介護給付等対象サービスの種類ごとの量や保険給付・地域支援事業の費用の額、地域支援事業の量、保険料の水準に関する中長期的な推計

○介護給付等対象サービス等の従事者の確保・資質の向上および業務の効率化・質の向上・生産性の向上に資する都道府県と連携した取り組みに関する事項

○サービス事業者相互間の連携確保のための事業に関する事項

○認知症である被保険者の地域における自立した日常生活の支援に関する事項、教育、地域づくりおよび雇用に関する施策その他の関連施策との有機的な連携に関する事項その他の認知症に関する施策の総合的な推進に関する事項

○有料老人ホームおよびサービス付き高齢者向け住宅のそれぞれの入居定員総数

○地域支援事業と高齢者保健事業および国民健康保険保健事業の一体的な実施に関する事項、要介護者等にかかる医療との連携に関する事項、高齢者の居住にかかる施策との連携に関する事項　など

5 都道府県が計画に定める事項

Key Point ◆都道府県が定めるべき事項

○介護保険施設、介護専用型・地域密着型特定施設入居者生活介護、地域密着型介護老人福祉施設入所者生活介護の必要利用（入所）定員総数、その他の介護給付等対象サービスの量の見込み

○都道府県内の市町村による、被保険者の地域における自立した日常生活の支援、要介護状態等となることの予防または要介護状態等の軽減や悪化の防止、介護給付等に要する費用の適正化に関する取り組みへの支援に関し、都道府県が取り組むべき施策に関する事項、およびこれらの目標に関する事項

Key Point ◆都道府県が定めるよう努める事項

○介護保険施設などにおける生活環境の改善を図るための事業に関する事項

○介護サービス情報の公表に関する事項

○介護給付等対象サービス等の従事者の確保・資質の向上および業務の効率化・質の向上・生産性の向上に資する事業に関する事項

○介護保険施設相互間の連携確保のための事業に関する事項

○介護予防・日常生活支援総合事業および包括的支援事業での在宅医療・介護連携推進事業に関する、市町村相互間の連絡調整を行う事業に関する事項

○有料老人ホームおよびサービス付き高齢者向け住宅のそれぞれの入居定員総数　など

事業者や施設の指定

- 都道府県は、都道府県介護保険事業支援計画に基づき、その区域の施設サービスなどが適正な供給水準にあると判断すれば、新たな事業者や施設などの指定を行わないこともできます。
- 都道府県知事は、地域密着型特定施設入居者生活介護については、市町村長の指定により計画の達成に支障が見込まれる場合は、市町村長に必要な助言や勧告を行います。

試験ではこう問われる！

介護保険法に規定する介護保険等関連情報の調査及び分析について正しいものはどれか。3つ選べ。

① 市町村は、介護保険等関連情報を分析した上で、その分析の結果を勘案して、市町村介護保険事業計画を作成するよう努めるものとする。

~~2~~ 都道府県は、都道府県介護保険事業支援計画を作成するに当たって、介護保険等関連情報を分析する必要はない。

分析・勘案して作成するよう努める

~~3~~ 都道府県は、介護サービス事業者に対し、介護給付等に要する費用の額に関する地域別、年齢別又は要介護認定及び要支援認定別の状況に関する情報を提供しなければならない。

市町村が厚生労働大臣に対して行う

④ 厚生労働大臣は、被保険者の要介護認定及び要支援認定における調査に関する状況について調査及び分析を行い、その結果を公表するものとする。

⑤ 厚生労働大臣は、特定介護予防・日常生活支援総合事業を行う者に対し、介護保険等関連情報を提供するよう求めることができる。

〈R5－10〉 正答 1 4 5

介護支援分野 〈制度〉

10 保険財政

介護保険事業に要する費用を賄う公費と保険料の負担割合、市町村格差を是正する国の調整交付金、財政安定化基金、第1号保険料の算定と徴収、第2号保険料で構成される介護給付費・地域支援事業支援納付金については、コンスタントに出題されています。

1 財源の負担割合

- 利用者負担分を除いた介護給付費（予防給付費含む）と地域支援事業の費用は、公費と保険料で賄います。
- 介護給付費と総合事業の国の負担のうち、５％相当額は、市町村の財政力の格差（第１号被保険者の保険料の格差や災害などの特別な事情による保険料減収など）を是正するための調整交付金として支給されます。
- 保険料の負担割合は、第１号被保険者と第２号被保険者の人口比に応じ、３年ごとに政令により改定されます。
- 第２号被保険者の負担割合は全国一律ですが、第１号被保険者の負担割合は調整交付金の率により、市町村ごとに異なるものとなります。

◆介護給付費の負担割合（令和６年度～令和８年度）

介護給付費

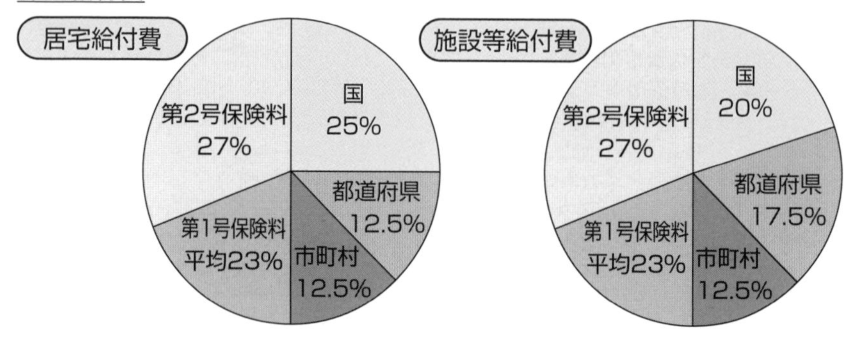

地域支援事業

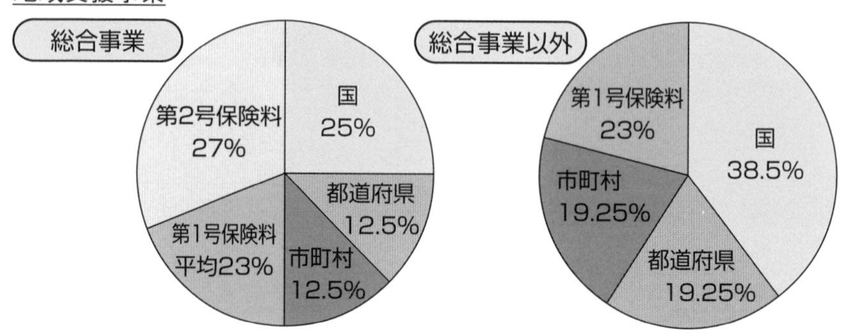

※居宅給付費と施設等給付費、総合事業の国の負担割合は調整交付金を含んだもの。地域支援事業の「総合事業以外」には第２号保険料の負担はない

2 財政安定化基金

都道府県に設置され、財源は国、都道府県、市町村が３分の１ずつ負担

- 保険財政の安定化を図るため、財政安定化基金が都道府県に設置され、資金の交付・貸付を行います。
- 財源は、国、都道府県、市町村（財源は第１号保険料）が３分の１ずつ負担します。

3 保険料の算定と徴収

	第1号被保険者	第2号被保険者
算定	○各市町村が介護給付費の見込みなどに応じて3年ごとに保険料率を算定 ○保険料率は、被保険者の負担能力に応じた13段階の所得段階別の定額の保険料として設定されるが、各市町村がさらに細分化したり、各段階の保険料率を変更したりすることも可能	各医療保険者が支払基金より課された介護給付費・地域支援事業支援納付金をもとに、年度ごとに保険料率を算定
徴収	○年金保険者を通して行う（特別徴収） ○特別徴収の対象者は、老齢・退職年金、遺族年金、障害年金の受給者（年額18万円以上） ○特別徴収に該当しない場合に、市町村が直接徴収する普通徴収が行われる ○市町村は、コンビニエンスストアなどに普通徴収の収納業務の委託が可能	○各医療保険者が医療保険料の一部として一括して徴収し、支払基金に介護給付費・地域支援事業支援納付金として納付。支払基金は、すべての医療保険者から集めた納付金を、各市町村の特別会計に介護給付費交付金と地域支援事業支援交付金として定率交付する ○健康保険では、事業主負担が行われる（国民健康保険の場合は国庫負担あり）

試験ではこう問われる！

介護保険における第1号被保険者の保険料について正しいものはどれか。3つ選べ。

1. 政令で定める基準に従い市町村が条例で定める。
2. ✕ 保険料率は、おおむね5年を通じ財政の均衡を保つことができるものでなければならない。（3年間の計画期間）
3. 普通徴収の方法によって徴収する保険料については、世帯主に連帯納付義務がある。
4. ✕ 普通徴収の方法によって徴収する保険料の納期は、政令で定める。（市町村の条例で定める）
5. 条例で定めるところにより、特別の理由がある者に対し、保険料を減免し、又はその徴収を猶予することができる。

〈R4－10〉 正答 1 3 5

介護支援分野

11 〈制度〉地域支援事業と地域包括支援センター

2015（平成 27）年度から、それまで予防給付で行われていた介護予防訪問介護、介護予防通所介護が市町村の地域支援事業に移行し、「介護予防・日常生活支援総合事業」が始まりました。地域支援事業の全体像をおさえておきましょう。

1 地域支援事業の概要

- 市町村は、被保険者が要介護状態等になることを予防し、要介護状態等の軽減・悪化の防止をするため、そして地域での自立した日常生活の支援のための施策を総合的・一体的に行うため、地域支援事業として介護予防・日常生活支援総合事業（総合事業）を行います。
- 市町村は、被保険者を対象に、要介護状態等になることを予防し、要介護状態等となっても可能なかぎり、地域での自立した日常生活を送れるように、包括的支援事業を行います。
- 市町村は、これらの事業のほか、任意事業を行うことができます。

Key Point ◆地域支援事業の事業構成

介護予防・日常生活支援総合事業（必須事業）	
事業	介護予防・生活支援サービス事業（第1号事業） ○訪問型サービス（第1号訪問事業） ○通所型サービス（第1号通所事業） ○生活支援サービス（第1号生活支援事業） ○介護予防ケアマネジメント（第1号介護予防支援事業）
	一般介護予防事業 ○介護予防把握事業　○介護予防普及啓発事業 ○地域介護予防活動支援事業　○一般介護予防事業評価事業 ○地域リハビリテーション活動支援事業
包括的支援事業（必須事業）	
事業	①介護予防ケアマネジメント（第1号介護予防支援事業〔要支援者以外〕） ②総合相談支援業務（事業）　③権利擁護業務（事業） ④包括的・継続的ケアマネジメント支援業務（事業） ⑤在宅医療・介護連携推進事業 ⑥生活支援体制整備事業　⑦認知症総合支援事業
任意事業（任意で実施）	
事業	介護給付等費用適正化事業・家族介護支援事業・その他の事業

2 地域支援事業の財源など

- 財源は公費と保険料から賄われ、市町村は、サービス内容に応じて利用料を設定し、利用者に請求できます。
- 地域支援事業は、市町村での介護予防関係事業の実施状況や介護保険の運営状況、75歳以上の被保険者の数などを勘案して、政令で定める額の範囲内で行われます。

3 介護予防・日常生活支援総合事業の内容と利用方法

要支援者等に実施する介護予防・生活支援サービス事業と、すべての第1号被保険者に実施する一般介護予防事業から構成される

- 介護予防・生活支援サービス事業は、要支援認定された要支援者あるいは基本チェックリストに該当した介護予防・生活支援サービス事業対象者と一部の要介護者※（以下、要支援者等）が利用できます。

※介護予防・生活支援サービス事業（従来の介護予防訪問介護・介護予防通所介護相当サービス、短期集中予防サービスを除く）を要介護認定前から継続的に利用している被保険者にかぎる

- 第２号被保険者は、要支援認定を受けている人のみ利用できます。

Key Point ◆介護予防・生活支援サービス事業

訪問型サービス（第１号訪問事業）	要支援者等に対し、掃除、洗濯などの日常生活上の支援を提供
通所型サービス（第１号通所事業）	要支援者等に対し、機能訓練や集いの場など日常生活上の支援を提供
生活支援サービス（第１号生活支援事業）	要支援者等に対し、栄養改善などを目的とした配食や定期的な安否確認と緊急時の対応などを提供
介護予防ケアマネジメント（第１号介護予防支援事業）	要支援者等に対し、総合事業によるサービスが適切に提供できるようにケアマネジメントを実施 ※介護予防訪問看護など予防給付を併用する要支援者は、予防給付による「介護予防支援」を利用

- 一般介護予防事業は、すべての第１号被保険者が対象で、介護予防のための事業が実施されます。
- 総合事業では、市町村の指定する指定事業者による専門的なサービスのほか、市町村の直接実施、市町村の委託による、ボランティア、NPOなどの多様な事業主体によるサービスが、地域の実情に応じて柔軟に行われます。

4 包括的支援事業

被保険者を対象に、地域包括支援センターにより一体的に業務が行われる

- 包括的支援事業は、市町村または市町村の委託を受けた法人が設置した地域包括支援センターが実施します。

Key Point ◆包括的支援事業の内容

○介護予防ケアマネジメント（第１号介護予防支援事業［要支援者以外］） 総合事業によるサービスなどが適切に実施できるようにケアマネジメントを実施
○総合相談支援業務（事業） 地域の関係者のネットワーク構築、高齢者の実態把握、相談対応などの総合相談支援など
○権利擁護業務（事業） 虐待防止や早期発見のための業務
○包括的・継続的ケアマネジメント支援業務（事業） 地域ケア会議などを通じたケアマネジメント支援、地域の介護支援専門員の相談対応など
○在宅医療・介護連携推進事業 医療の専門家による、事業者や医療機関などとの連携を推進するための事業
○生活支援体制整備事業 生活支援コーディネーター、就労的活動支援コーディネーターの配置や協議体の実施など
○認知症総合支援事業 認知症の早期対応のための総合的な支援など

5 事業の実施の委託

- 市町村は、包括的支援事業を厚生労働省令で定めるところにより、包括的支援事業の実施方針を示して、老人福祉法上の老人介護支援センターの設置者などに委託することができます。この場合、支援事業のすべてを一括して委託しなければなりません（➡P.89〔表中⑤～⑦の事業は分割委託可〕）。
- 地域包括支援センターの設置者は、指定居宅介護支援事業者等に対し、総合相談支援業務の一部を委託することができます。
- 市町村は、任意事業の全部または一部について、老人福祉法上の老人介護支援センターの設置者などに委託することができます。

6 地域包括支援センター

- 地域包括支援センターは、包括的支援事業、一般介護予防事業、任意事業、総合事業における介護予防ケアマネジメントを実施し、地域包括ケアシステムの中心的な機関としての役割が期待されています。
- 地域ケア会議は市町村が設置し、市町村、地域包括支援センターが開催します。
- 原則として第１号被保険者数がおおむね3,000人以上6,000人未満ごとに、常勤専従の保健師・社会福祉士・主任介護支援専門員（またはこれらに準ずる者）が各１人配置されます。
- 地域包括支援センターの設置・運営に関しては、原則として市町村単位で設置される地域包括支援センター運営協議会が関与します。

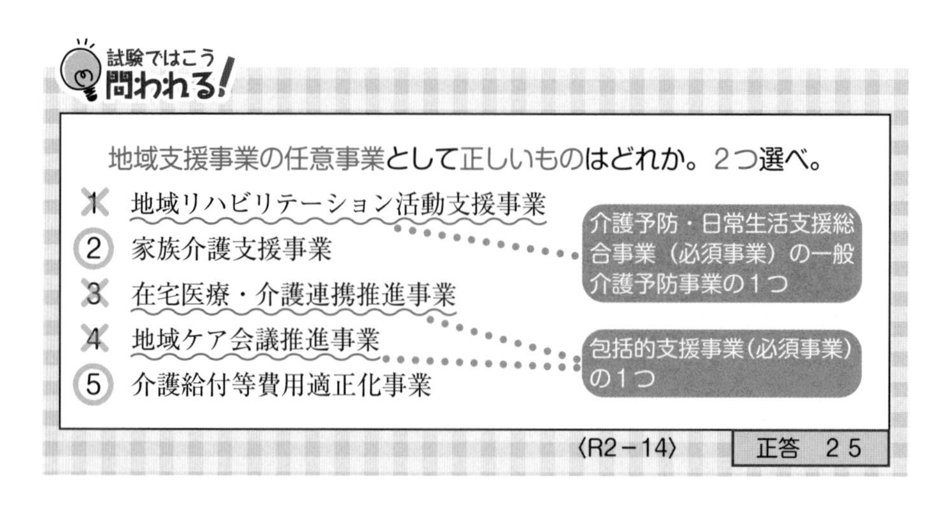

介護支援分野

12 〈制度〉

介護サービス情報の公表

介護サービス情報の公表については、出題範囲がかぎられています。的をしぼった学習をしていきましょう。

1 介護サービス情報の公表

介護サービス事業者には、都道府県知事に介護サービス情報の報告をすることが義務づけられます（サービスの提供開始時：基本情報、報告計画に基づき年１回程度：基本情報と運営情報）。都道府県知事は、その内容を公表しなければなりません。また必要がある場合に、その介護サービス情報について都道府県の定める指針に従い調査をすることができます。

Key Point ◆公表すべき介護サービス情報

基本情報	基本的な事実情報。事業所等の運営方針や職員体制、利用料金、介護サービスの内容など
運営情報	サービスの具体的な取り組み状況。利用者等の権利擁護や安全管理、個人情報保護のために講じている措置など

2 調査命令・指定の取り消し

都道府県知事は、介護サービス事業者が報告を行わないときや調査を受けなかったときなどは、期間を定めて報告をすること、調査を受けることなどを命じることができます。従わない場合、都道府県知事が指定した事業者であれば、指定・許可の取り消し、効力の停止をすることができます。

3 指定調査機関と指定情報公表センター

都道府県知事は、調査事務や公表事務を、都道府県ごとに指定する指定調査機関、指定情報公表センターに行わせることができます。

4 介護サービス事業者経営情報の調査および分析など

- 介護サービス事業者は、厚生労働省令で定めるところにより、介護サービス事業者経営情報を、都道府県知事に報告しなければなりません。
- 都道府県知事は、介護サービス事業者経営情報について、調査および分析を行い、その内容を公表するよう努めます。
- 厚生労働大臣は、情報を収集・整理・分析し、国民にインターネットなどを通じて迅速に提供できるよう必要な施策を実施します。

試験ではこう問われる！

介護サービス情報の公表制度について正しいものはどれか。3つ選べ。

① 原則として、介護サービス事業者は、毎年、介護サービス情報を報告する。

~~2~~ 指定居宅介護支援事業者は、介護サービス情報をその事業所の所在地の市町村長に報告する。 → 報告は都道府県知事に行う

~~3~~ 介護サービス情報の公表は、事業所又は施設の所在地の国民健康保険団体連合会が行う。 → 都道府県知事が公表する

④ 職種別の従業者の数は、公表すべき事項に含まれる。

⑤ 指定居宅サービス事業者が報告内容の是正命令に従わないときには、指定を取り消されることがある。

〈R4－14〉 正答 1 4 5

介護支援分野
13
〈制度〉
国保連の業務と介護保険審査会

国民健康保険団体連合会（国保連）は、医療保険での業務も行っていますが、試験では介護保険での業務について繰り返し問われています。介護保険関係業務および委託を受けて行う業務と独立した業務の区別について、確実におさえておきましょう。

1 国保連による介護保険事業にかかる業務

Key Point ◆国保連の業務

市町村からの委託	介護給付費、介護予防・日常生活支援総合事業の第１号事業支給費などの審査・支払い業務
独立業務	苦情処理にかかる業務
円滑な運営のための事業	①第三者行為への損害賠償金の徴収･収納の事務(市町村からの委託) ②指定居宅サービス、指定地域密着型サービス、指定居宅介護支援、指定介護予防サービス、指定地域密着型介護予防サービスの事業や介護保険施設の運営 ③その他、介護保険事業の円滑な運営に資する事業

2 苦情処理業務

- 被保険者は保険者の行った行政処分について、介護保険審査会に審査請求を行うことができます。
- 国保連は、苦情の受け付け、事実関係の調査や改善事項の提示などを行います。ただし指定基準に違反している事業者・施設に対し、強制権限を伴う立ち入り検査、指定の取り消しなどを行う権限はありません。

3 介護保険審査会

- **設置**：都道府県。　● **委員の任期**：３年。
- **委員**：市町村代表委員、被保険者代表委員、公益代表委員。都道府県知事が任命します。
- **専門調査員**：学識経験者を専門調査員として任意設置。
- **審査・裁決**：要介護認定等に関する処分は公益代表委員のみで構成される合議体で取り扱い、全委員の出席により過半数で議決。要介護認定等以外の処分は市町村代表委員、被保険者代表委員、会長を含む公益代表委員、各３名の合議体で取り扱い、過半数の委員の出席により過半数で議決（可否同数の場合は会長の議決）。

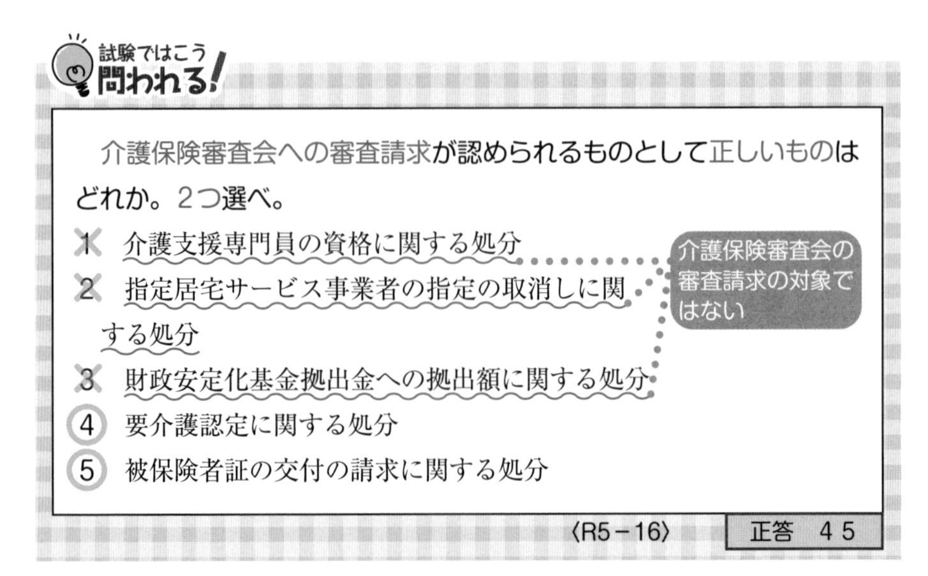

介護保険審査会への審査請求が認められるものとして正しいものはどれか。2つ選べ。

1 介護支援専門員の資格に関する処分

2 指定居宅サービス事業者の指定の取消しに関する処分

3 財政安定化基金拠出金への拠出額に関する処分

4 要介護認定に関する処分

5 被保険者証の交付の請求に関する処分

介護保険審査会の審査請求の対象ではない

〈R5－16〉　正答　4 5

介護支援分野

14

〈ケアマネジメント〉

介護支援専門員の基本姿勢

介護支援専門員のもつべき基本姿勢は、事例問題でもよく問われるポイントです。特に、「自立支援」は介護保険制度の理念でもあり、よく理解しておくことが大切です。自立支援を基本として、利用者の自己決定の支援、主体性の尊重などをおさえておきましょう。

第3章 出題傾向&学習ポイント

1 介護支援専門員のもつべき視点

Key Point ◆基本視点①

人権擁護	利用者の人権を尊重し、人権を擁護する
主体性の尊重	利用者の主体性を尊重し、対等な関係を維持する
公平性	利用者と個人的な関係になることを避け、自己覚知に努め、感情をコントロールする
中立性	利用者と関係者の間で、また事業者との関係において常に中立性を保ち、関係者それぞれの生活が常に安定するように活動する
個人情報の保護	原則としてあらかじめ文書により、その個人情報を用いる本人の同意を得ておかなければならない

Key Point ◆基本視点②

社会的責任の自覚	専門的で的確な援助を行うことにより、利用者や地域社会全体に利益をもたらすよう努力する
自立支援	○利用者が自らの意思に基づき、自分らしく、自立した質の高い生活を送れるよう社会的に支援する ○自立の最終的な目標は、人格的自立にある。利用者のエンパワメント（自信や信頼を回復し、解決に向けて力をつけていくこと）を支援し、ストレングス（意欲、積極性、治癒力、回復力、嗜好、願望、社会資源など）を引き出せるよう支援する

試験ではこう問われる！

担当する利用者に対する介護支援専門員の基本姿勢として、より適切なものはどれか。2つ選べ。

1 心身機能が一時的に低下した場合には、利用者の状態にかかわらず、介護保険サービスを区分支給限度基準額まで活用するよう勧める。（×）

利用者の状態やニーズを重視

2 利用者の自己決定を尊重するため、求めがなければサービス利用に関する情報提供はしない。（×）

利用者が正しく自己決定できるよう情報提供する必要がある

3 利用者が認知症のため自分の意向をうまく伝えられない場合には、その意向を推し測り、利用者の尊厳が保持されるように努める。（○）

4 特定のサービス事業者に不当に偏ることなく、公正中立に支援する。（○）

5 利用者と家族の意向が一致しない場合には、家族の意向を優先する。（×）

中立の立場をとる

〈R1－16〉 正答 3 4

介護支援分野 15

〈ケアマネジメント〉

居宅介護支援事業者の基準

介護支援専門員が所属する、居宅介護支援事業者の人員基準や運営基準については重要項目です。サービスの利用手続きにかかる規定、居宅サービス計画にかかる規定、苦情処理や秘密保持にかかる規定は特に頻出ですが、そのほかも出題される可能性があります。

各サービス事業者や施設が指定を受けるにあたって、人員・設備・運営基準（指定基準）を満たす必要があります。

これらの基準は、従来は厚生労働省令（国の基準）で定められていましたが、2012（平成24）年度から、指定権者である都道府県・市町村の条例に委任されることになりました。

1 指定居宅介護支援事業者の人員基準

- 介護支援専門員が常勤で１人以上必要です。利用者44人（ケアプランデータ連携システムを活用し、かつ、事務職員を配置している場合は49人）またはその端数を増すごとに１人を基準として配置します（増員分は非常勤でも可）。
- 管理者は常勤で、原則として主任介護支援専門員でなくてはなりません。
- 管理者は、支障なければ事業所の介護支援専門員の職務やほかの事業所の職務との兼務が可能です。

2 指定居宅介護支援事業者の主な運営基準

◆サービス提供に関する基準のポイント

内容および手続きの説明と同意	サービス提供開始にあたり、利用申込者・家族に重要事項を記した文書を交付して説明し、利用申込者の同意を得る
提供拒否の禁止	①事業所の現員では利用申込に応じきれない、②利用申込者の居住地が事業所の通常の事業の実施地域外、③利用申込者がほかの居宅介護支援事業者にもあわせて依頼していることが明らかなどの正当な理由がない場合、サービス提供を拒んではならない
利用者の受給資格などの確認	被保険者証で被保険者資格、要介護認定の有無、有効期間などを確認する
身分を証する書類の携行	介護支援専門員に対し、介護支援専門員証を携行し、初回訪問時や利用者・家族から求めがあったときに提示すべき旨を指導する
要介護認定の申請にかかる援助	●被保険者から要介護認定の申請の代行を依頼された場合などは、利用申込者の意思を踏まえ、必要な協力を行う ●更新認定の申請は、遅くとも有効期間満了日の 30 日前に行われるよう必要な援助をする

◆居宅サービス計画作成に関する基準のポイント

基本・具体的取り扱い方針	居宅介護支援の方針や介護支援専門員が行う一連の業務についての基準（➡P.102〜105 の内容参照）に従う
利用者に対する居宅サービス計画などの書類の交付	利用者が①ほかの居宅介護支援事業者の利用を希望する、②要介護認定を受けている利用者が要支援認定を受けた、③その他申し出があった場合は、直近の居宅サービス計画とその実施状況に関する書類を利用者に交付する

◆その他の基準

利用者に関する市町村への通知	利用者が①正当な理由なくサービスの利用に関する指示に従わず要介護状態が進んでしまった、②偽りその他不正な行為により保険給付を受けたなどのときには、意見をつけ通知する
業務継続計画の策定等	感染症や非常災害の発生時において、サービスの提供の継続的な実施などのため、業務継続計画の策定など必要な措置を講じる
従業者の健康管理	介護支援専門員の清潔の保持と健康の管理を行う
感染症の予防およびまん延の防止のための措置	感染症の発生・まん延防止のため、感染対策委員会の開催やその結果の周知徹底、予防・まん延防止のための指針の整備、研修および訓練の定期的な実施などの措置を講じる
掲示	運営規程の概要、勤務体制など重要事項を事業所に掲示する
虐待の防止	虐待の発生またはその再発を防止するため、担当者を置いて、虐待防止検討委員会の開催、虐待防止のための指針の整備、研修の定期的な実施などの措置を講じる

秘密保持	業務上知り得た利用者などの秘密を漏らしてはならない。サービス担当者会議などで、利用者や家族の個人の情報を開示する場合は、その本人にあらかじめ文書により同意を得る
事業者などからの利益収受の禁止など	特定の事業者に便宜を図るなどで、金品その他財産上の利益を受けてはならない。利用者に特定のサービスを利用するよう指示をしてはならない
事故発生時の対応	事故発生時には、すみやかに市町村、利用者の家族などに連絡。事故状況や処置の記録、賠償すべき事故が発生した場合には、すみやかに損害賠償する
苦情処理	利用者からの苦情を受け付けるための窓口の設置、市町村や国保連が行う苦情に関する調査に協力し、必要な改善を行う。また市町村や国保連から求めがあった場合は、改善内容を報告する

試験ではこう問われる！

指定居宅介護支援事業者について正しいものはどれか。3つ選べ。

×1 指定居宅介護支援の提供の開始に際し、複数の指定居宅サービス事業者を必ず紹介しなければならない。

複数の紹介を求めることができると説明し理解を得る

②2 指定居宅介護支援の提供の開始に際し、利用者に入院する必要が生じたときは、介護支援専門員の氏名と連絡先を入院先の病院又は診療所に伝えるよう、あらかじめ利用者や家族に求めなければならない。

×3 指定居宅介護支援の提供の開始に際し、要介護認定申請が行われていない場合は、利用申込者の意思にかかわらず、速やかに申請が行われるよう援助を行わなければならない。

利用申込者の意思を踏まえて

④ 通常の事業の実施地域等を勘案し、自ら適切な指定居宅介護支援を提供することが困難なときは、他の指定居宅介護支援事業者を紹介するなど必要な措置を講じなければならない。

⑤ 利用者の選定により通常の事業の実施地域以外の地域で指定居宅介護支援を行うときは、要した交通費の支払を利用者から受けることができる。

〈R2－21〉 正答 2 4 5

介護支援分野
16

〈ケアマネジメント〉

居宅介護支援の内容

介護支援専門員が行う居宅介護支援の内容（課題分析、居宅サービス計画の作成、サービス担当者会議の開催、モニタリングなど）は、最頻出事項です。

1 居宅介護支援とは

居宅介護支援とは、在宅の要介護者に対するケアマネジメントです。居宅介護支援事業者の介護支援専門員が在宅の要介護者から依頼を受け、その心身の状況やおかれている環境、本人や家族の意向などを踏まえ、居宅サービスや地域密着型サービスなどの利用計画を作成します。

2 課題分析（アセスメント）

利用者の能力、環境などの評価を通じて、利用者の解決すべき課題（生活ニーズ）を把握する

●課題分析（アセスメント）とは、利用者の能力、身体・心理的な状態、すでに実施されているサービス、生活環境などの評価を通じて、利用者が生活の質を維持・向上するうえでの問題点を明らかにし、利用者が自立した日常生活を送るうえで解決すべき課題（生活ニーズ）を明らかにするものです。そして、この課題分析をするための道具として、課題分析票が用いられます。

- 課題分析票は全国共通ではなく、さまざまなものが開発されていますが、最低限、国の課題分析標準項目の内容を含んだものでなくてはなりません。
- 課題分析は、利用者の居宅を訪問し、利用者およびその家族と面接をして行わなければなりません。

3 居宅サービス計画の作成

課題分析で得られた結果をもとに、利用者とともに、最終的に到達すべき方向性や状況を示す支援目標を設定します。そして、生活ニーズに対応する目標と援助内容などについて記入した居宅サービス計画を作成します。

Key Point ◆計画作成上の留意点①

○総合的な計画作成　利用者の日常生活全般を支援する観点から、介護保険の給付対象外のサービス、地域の住民の自発的な活動によるサービスなども含め、総合的で多様な計画となるよう配慮する

○医療サービスの主治医の指示　利用者が医療サービスの利用を希望している場合は、主治の医師等（主治の医師や歯科医師、以下主治医）の意見を求め、その指示がある場合にかぎり計画に盛り込む。介護支援専門員は、作成した居宅サービス計画を主治医に交付する

○介護認定審査会の意見などの反映　被保険者証に介護認定審査会の意見やサービスの種類の指定について記載されている場合は、利用者にその趣旨を説明（サービスの種類の指定は変更申請ができることを含む）し、理解を得たうえでその記載に沿って計画を作成する

Key Point ◆計画作成上の留意点②

○短期入所サービスの位置づけ　居宅サービス計画に短期入所生活介護や短期入所療養介護を位置づける場合には、利用する日数が要介護認定の有効期間のおおむね半数を超えないようにする

○福祉用具（貸与・販売）の計画への位置づけ　福祉用具貸与・特定福祉用具販売を居宅サービス計画に位置づける場合は、必要な理由を記載する。福祉用具貸与では、計画作成後も必要に応じて随時、サービス担当者会議で継続の必要性について検証し、継続が必要な場合は、再度その理由を居宅サービス計画に記載する

4 サービス担当者会議の開催・居宅サービス計画の交付

- 介護支援専門員は利用者や家族も参加するサービス担当者会議（ケアカンファレンス）を開催し、そこで、医師、看護師、訪問介護員などの担当者から専門的な見地からの意見を求め、居宅サービス計画の原案を調整していきます。そして、確定した居宅サービス計画は、利用者と各サービス担当者に交付します。また、サービス提供事業者には、各事業者で作成している個別サービス計画の提出を求めます。
- 2021（令和3）年度の改正により、サービス担当者会議は、利用者や家族の同意があればテレビ電話装置などを活用して実施することが可能になりました。

Key Point

○サービス担当者会議は、原則として居宅サービス計画の新規作成時および変更時に必ず開催する

○利用者が更新認定や変更認定を受けたときにも開催する

○居宅サービス計画の原案（サービス利用票、サービス利用票別表を含む）は、利用者やその家族に十分説明し、文書により利用者の同意を得ておく

○確定した居宅サービス計画は利用者と各サービス担当者に交付する

5 モニタリング・再課題分析

- 介護支援専門員は、利用者の居宅サービスの利用状況と生活状況を継続的に見守っていく、モニタリングを行います。
- モニタリングによって、利用者の生活ニーズに変化がみられる場合などは、最初の手順と同様に、再課題分析（再アセスメント）や、居宅サービス計画の作成を行っていきます。

Key Point

○少なくとも１か月に１回は利用者宅を訪問して面接を行い、１か月に１回は、モニタリングの結果を記録しなければならない
○計画変更時も、新規作成時と同様にアセスメントなどを行っていく

- 2024（令和６）年度の改正により、利用者の同意およびサービス担当者会議等における関係者の合意があり、少なくとも２か月に１回は利用者の居宅を訪問する場合は、テレビ電話装置などを活用したオンラインモニタリングを実施することが可能となりました。

試験ではこう問われる！

指定居宅介護支援に係るモニタリングについて正しいものはどれか。３つ選べ。

① 利用者についての継続的なアセスメントは、含まれる。
② 目標の達成度の把握は、含まれる。
③ 指定居宅サービス事業者等との連絡を継続的に行う。
✕4 少なくとも１月に１回、主治の医師に意見を求めなければならない。
→ 定期的に主治医の意見を求めるという規定はない
✕5 地域ケア会議に結果を提出しなければならない。
→ 地域ケア会議に結果を提出するという規定はない

〈R4－21〉 正答 1 2 3

介護支援分野

17

〈ケアマネジメント〉

介護予防支援の基準と内容

予防給付における介護予防支援と、地域支援事業（総合事業）の介護予防ケアマネジメントとでは、介護予防の視点や考え方、基本的なケアマネジメントは同じです。介護予防支援では、モニタリングに定められた規定などに注意が必要です。

1 指定介護予防支援事業者の人員基準

- 地域包括支援センターの設置者である事業者は、事業所ごとに介護予防支援の担当職員（保健師、介護支援専門員、社会福祉士など）が１人以上必要です。
- 指定居宅介護支援事業者である事業者は、事業所ごとに介護予防支援を提供する介護支援専門員が１人以上必要です。
- 管理者は常勤で必要です（兼務可）。指定居宅介護支援事業者である事業者は、原則として主任介護支援専門員である必要があります。

2 介護予防支援とケアマネジメントの視点

介護予防支援は、予防給付での要支援者に対して行う介護予防ケアマネジメントで、地域包括支援センターの担当職員および指定居宅介護支援事業者の介護支援専門員が行います。介護予防・日常生活支援総合事業における介護予防ケアマネジメントと一貫性・連続性をもった支援が行われます。

Key Point ◆介護予防ケアマネジメントの視点

○目標の共有と利用者の主体的なサービス利用
○将来の生活機能の改善の見込みに基づいたアセスメント
○明確な目標設定による目標志向型のケアプランの策定

3 アセスメント

4つのアセスメント領域ごとに行う

- アセスメントにあたっては、利用者の居宅を訪問して面接を行います。
- 認定調査結果や主治医意見書なども活用して、面接で得た情報から利用者の生活機能や健康状態、環境などを把握し、４つの領域ごとに生活機能低下の原因や背景について分析し、課題を明らかにします。

Key Point ◆アセスメント領域

①運動・移動　②家庭生活を含む日常生活　③社会参加・対人関係・コミュニケーション　④健康管理

4 介護予防サービス計画の作成

- 総合的課題に基づき、目標とその達成のための具体策について提案し、利用者や家族の意向を確認します。
- 計画には、目標についての支援のポイント、利用者本人が自ら取り組むセルフケアや家族の支援、地域のボランティアなどのインフォーマルサービスも盛り込み、それぞれ期間を設定します。
- 計画作成上の留意点は、居宅介護支援事業者と同様です（➡P.103～104）。

5 サービス担当者会議・介護予防サービス計画の交付

- サービス担当者会議は、原則として介護予防サービス計画の新規作成時や変更時、利用者が更新認定や変更認定を受けたときには、やむを得ない理由がある場合を除き必ず開催します。
- 介護予防サービス計画の原案の内容は、利用者・家族に説明したうえで、利用者から文書による同意を得ることが規定されています。最終的に決定した介護予防サービス計画は利用者および各サービス担当者に交付します。そして、サービス提供事業者には、介護予防訪問看護計画など個別サービス計画の提出を求めます。

6 報告聴取・モニタリング

担当職員等は各事業者に対して、個別サービス計画の作成を指導するとともに、サービスの提供状況や利用者の状態などに関する報告を少なくとも１か月に１回は聴取（報告聴取）しなければなりません。また、利用者自身の状況や課題が変化していないかなど継続的にサービスの実施状況を把握（モニタリング）します。

Key Point

○少なくともサービス提供開始月の翌月から３か月に１回、およびサービスの評価期間が終了する月、利用者の状況に著しい変化があったときには利用者の居宅を訪問して面接する
○利用者宅を訪問しない月でも、事業所への訪問などの方法により利用者と面接するように努め、面接ができない場合には、電話連絡などにより、利用者に確認を行う
○少なくとも１か月に１回は記録する

- 2024（令和６）年度の改正により、居宅介護支援と同様に、オンラインモニタリングが可能となりました（➡ P.105）。利用者の同意およびサービス担当者会議等における関係者の合意のほか、少なくとも６か月に１回は利用者の居宅を訪問することが要件となります。

7 評価

サービス事業所からの報告をもとに、介護予防ケアプランに位置づけた期間の終了時に利用者の状態や目標の達成状況について評価します。そして必要に応じて今後の介護予防サービス計画を見直します。

8 指定居宅介護支援事業者への業務の委託

- 地域包括支援センターの設置者である指定介護予防支援事業者は、介護予防支援の業務の一部を、地域包括支援センター運営協議会の議を経たうえで、指定居宅介護支援事業者に委託することができます。
- 業務を委託した場合も、介護予防サービス計画原案の内容や妥当性の確認、指定居宅介護支援事業者の行った評価の内容の確認は、指定介護予防支援事業者が行います。

試験ではこう問われる!

介護予防サービス計画について正しいものはどれか。3つ選べ。

1. 地域の住民による自発的な活動によるサービス等の利用も含めて位置付けるよう努めなければならない。
2. ✕ 計画に位置付けた指定介護予防サービス事業者から、利用者の状態等に関する報告を少なくとも3月に1回、聴取しなければならない。
   → 1か月に1回
3. 介護予防福祉用具貸与を位置付ける場合には、貸与が必要な理由を記載しなければならない。
4. 計画に位置付けた期間が終了するときは、当該計画の目標の達成状況について評価しなければならない。
5. ✕ 介護予防通所リハビリテーションを位置付ける場合には、理学療法士の指示が必要である。
   → 主治医の指示が必要

〈R4－22〉 正答 1 3 4

介護支援分野

18

〈ケアマネジメント〉

介護保険施設の基準と施設介護支援

介護保険施設の基準や施設で行われるケアマネジメント（施設介護支援）について、よく問われます。居宅復帰の視点、施設サービス計画作成の基本的な流れ、計画に記載する事項、施設サービス計画作成を担当する「計画担当介護支援専門員」の責務をおさえておきましょう。

1 介護保険施設の人員基準

介護支援専門員は、常勤で1人以上必要

- 介護保険施設の人員基準（介護老人保健施設の医師・看護師の人員基準、一部の設備基準を除く）では、介護支援専門員は、常勤で１人以上必要です。
- 入所者（入院患者）100人またはその端数を増すごとに１人を標準とします（100人未満の施設でも常勤で１人以上必要）。

2 介護保険施設の設備基準

◆居室・療養室・病室の定員

○介護老人福祉施設は原則個室
○介護老人保健施設は定員４人以下
○介護医療院は定員４人以下

3 介護保険施設の運営基準

次の基準の内容は、おおむね居宅介護支援事業者と同じ趣旨のものが定められています。

◆居宅介護支援事業者と共通の運営基準

○内容・手続きの説明と同意
○サービス提供困難時の対応
○受給資格等の確認
○要介護認定の申請にかかる援助
○入所者（入院患者）に関する市町村への通知
○管理者の責務
○運営規程
○勤務体制の確保など
○掲示
○秘密保持など
○苦情処理（苦情処理の記録は、計画担当介護支援専門員の責務）
○会計の区分
○保険給付の請求のための証明書の交付
○業務継続計画の策定等
○虐待の防止
○感染症の予防およびまん延の防止のための措置

◆その他介護保険施設に固有の基準

提供拒否の禁止	拒否できる正当な理由は、①入院治療の必要がある（介護療養型医療施設では「入院治療の必要がない」）、②その他入所者（入院患者）に自ら適切なサービスを提供することが困難な場合
居宅介護支援事業者に対する利益供与等の禁止	施設を紹介すること、または退所者を紹介することの対償として、居宅介護支援事業者やその従業者に金品その他財産上の利益を供与あるいは収受してはならない
定員の遵守	災害などやむを得ない場合を除いて、定員を超えて入所させてはならない
非常災害対策	非常災害に関する具体的計画を立て非常災害時の関係機関への通報および連携体制を整備し、定期的に従業者に周知する。定期的に避難、救出などの必要な訓練などを行う

身体的拘束などの禁止	○緊急やむを得ない場合を除いて、身体的拘束など入所者の行動を制限する行為を行ってはならない ○緊急やむを得ず行った場合は、その理由を記録する ○身体的拘束等の適正化のための対策を検討する委員会を３か月に１回以上開催し、その結果を周知徹底する ○身体的拘束等の適正化のための指針を整備し、従業者への研修を定期的に行う
衛生管理など	○感染症・食中毒の発生やまん延を防ぐために、「感染対策委員会」をおおむね３か月に１回以上開催し、その結果を職員へ周知徹底する ○感染症対策の指針を整備し、従業者への研修ならびに訓練を定期的に行う
事故発生の防止および発生時の対応	○事故発生時の対応などの指針を整備し、事故発生の報告、分析、改善策の職員への周知徹底を図る体制を整備する ○事故発生防止のための「事故防止検討委員会」、職員への研修を定期的に行う ○事故の処置についての記録をする

4 施設介護支援

- 介護保険施設の入所者にも、施設サービス計画の作成やサービスの調整、モニタリングといったケアマネジメント（施設介護支援）が施設の計画担当介護支援専門員により行われます。施設介護支援の流れや支援の考え方は、基本的に居宅介護支援と同じです。
- 施設サービス計画は、施設で個別に実施される栄養ケア計画のような個別援助計画の基本計画（マスタープラン）になるものです。
- 課題分析では、施設の独自の様式を用いることができますが、国の示す課題分析標準項目（➡P.19）に沿っている必要があります。

◆施設サービス計画作成に関する運営基準

総合的な施設サービス計画の作成	介護給付等対象サービス以外の地域のボランティアなども含め、施設サービス計画に位置づけ、総合的な計画となるよう努める
課題分析の実施	計画担当介護支援専門員は、入所者（入院患者、以下同）や家族と面接して解決すべき課題を把握する

施設サービス計画の原案作成	入所者の希望と課題分析の結果に基づき、施設サービス計画の原案を作成する。原案には、入所者や家族の生活に対する意向、総合的な援助の方針、生活全般の解決すべき課題、サービスの目標およびその達成時期、サービスの内容、サービスを提供するうえでの留意点などを記載する
サービス担当者会議の開催	作成した施設サービス計画の原案は、サービス担当者会議の開催、または担当者への照会などにより、専門的な見地から検討する
施設サービス計画原案の説明・同意・交付	施設サービス計画原案の内容については入所者または家族に説明し、入所者から文書による同意を得て、作成した施設サービス計画を入所者に交付する
モニタリング	施設サービス計画作成後も計画の実施状況の把握（モニタリング）を行い、必要に応じ変更を行う。モニタリングにおいては、定期的に入所者と面接し、定期的に結果を記録する
計画変更についてのサービス担当者会議開催	更新認定や要介護状態区分の変更認定の際には、サービス担当者会議の開催または担当者への照会などにより、専門的な見地からの意見を求めなければならない

試験ではこう**問われる！**

介護保険施設について正しいものはどれか。2つ選べ。

✕1 介護老人福祉施設の入所定員は、50人以上でなければならない。
→ 30人以上

②2 介護老人保健施設の管理者となる医師は、都道府県知事の承認を受けなければならない。

✕3 指定介護療養型医療施設は、2027（令和9）年度末まで新たに指定を受けることができる。
→ 2024（令和6）年3月31日をもって廃止された

④4 入所者ごとに施設サービス計画を作成しなければならない。

✕5 地域密着型介護老人福祉施設は、含まれる。
→ 介護保険施設に含まれない

〈R4－7改〉 正答　2 4

保健医療サービス分野

1 高齢者に起こりやすい症状・疾患

〈医療・介護技術〉

出題割合が高く要となるところです。ケアプランを作成するにあたり、どのようなことを知っておくべきかという観点で問われるので、その症状や疾患の原因、予防法や支援の際の留意点、急変時の対応など幅広い視点でとらえましょう。

1 廃用症候群

廃用症候群とは、生活不活発病ともいい、日常生活での活動性の低下に伴って生じる身体的機能・精神的機能の全般的低下をいいます。

症状には身体の一部に起こるもの（筋の萎縮、関節の拘縮（こうしゅく）、褥瘡（じょくそう）など）、全身に影響するもの（心肺機能低下、起立性低血圧、消化器機能低下）、精神や神経に現れるもの（認知症、うつ状態など）があります。

◆原因と対応・予防

原因	対応・予防
過度の安静や長期臥床など	早期リハビリテーション、環境整備、社会的孤立の予防、栄養状態改善

転倒・骨折

高齢者は、運動機能の低下、薬の影響、視力の低下、認知機能の低下などで転倒しやすくなります。転倒は骨折に結びつきやすく、転倒への恐怖や過度の安静で廃用症候群を引き起こす原因となりますので、環境整備など転倒防止の支援が大切です。

2 脱水

- 脱水とは、体内の水分が不足している状態です。高齢者は体内の水分量が少なく口渇（こうかつ）が感じられにくいため、脱水になりやすくなります。

◆原因と対応・予防

原因	対応・予防
摂食不良、下痢、発熱、高血糖など	○脱水が疑われる場合は、バイタルサインの確認、意識障害がある場合は、すみやかな医療的処置 ○日頃から飲食量、尿量、体重の低下がないか注意し、こまめな水分補給をする

3 低栄養

- 高齢者では、食欲が低下するが、必要なたんぱく質の量は、一般成人と変わりません。
- 高齢者の低栄養では、浮腫や貧血が生じやすく、免疫機能が低下します。すると、感染症も起こりやすくなるため、多職種協働で栄養状態の改善を図ります。
- 低栄養は血清アルブミン値が有効な指標となります（低くなる）。

◆原因と対応・予防

原因	対応・予防
そしゃく力低下などで十分な食事摂取量が確保できない、食事準備が困難	○食事の回数を多くする、補食を検討、口腔ケアの指導 ○訪問介護（生活援助）、栄養士による訪問指導など ○配食サービス導入

4 視聴覚障害

難聴	高齢者では感音性難聴（老人性難聴ともいう）が多い。治療による改善は期待しにくいため、補聴器の適切な使用がすすめられる
耳鳴り	内耳の感覚細胞の障害によるが、高血圧や糖尿病などの全身疾患が原因のこともある。明らかな疾患による耳鳴り以外は治療が困難
視覚障害	高齢者によくみられるのは白内障、加齢黄斑変性症、緑内障、糖尿病性網膜症。眼瞼下垂により、視力が低下することがある

5 めまい、ふらつき

感覚	原因・背景
回転性めまい （目の前がぐるぐるする）	多くは内耳の障害により起こる。メニエール病、良性発作性頭位めまい症、前庭神経炎など
眼前暗黒感 （目の前が暗くなり、場合によっては失神）	起立性低血圧、低血糖、徐脈性不整脈
浮動感 （目の前がふわふわする）	抗不安薬、睡眠薬、筋弛緩薬などの薬の副作用、小脳疾患、パーキンソン病

6 循環器系の疾患

- 心筋梗塞（冠動脈の一部が閉塞）では、長引く前胸部の痛みとしめつけ感が典型的で、呼吸困難、左肩から頸部の鈍痛、意識障害などを自覚することもあります。
- 狭心症（冠動脈が狭くなる）は前胸部の圧迫感が典型的です。労作性狭心症では、心拍数の増加や血圧上昇時に発作が起こり、異型狭心症では、労作の有無によらず冠動脈のれん縮により夜間、未明、睡眠時に発作が起こります。
- 心不全とは、心臓機能が低下した状態をいい、主な症状は呼吸困難（夜間に急に増悪することがある）、浮腫、食欲低下、尿量低下などです。
- 心不全の呼吸困難時には、起座位または半座位にすることで症状が改善します。

7 脳血管障害

Key Point ◆脳血管障害の症状の比較

	血管が詰まる（脳梗塞）			血管が破れる	
病名	ラクナ梗塞	アテローム血栓性脳梗塞	心原性脳塞栓症	脳出血	くも膜下出血
原因	動脈硬化		心臓などで生じた血栓	動脈硬化	脳動脈瘤が破裂
症状	脳の局所症状（運動麻痺、感覚障害など）、特に脳内出血では、頭蓋内圧亢進症状（頭痛、嘔吐、意識障害など）				急な激しい頭痛、嘔気、嘔吐、意識障害、脳神経症状など

8 パーキンソン病

- 四大運動症状は、①振戦（安静時の身体のふるえ）、②筋固縮（筋の硬さ）、③無動（動作の遅さ、拙劣）、④姿勢・歩行障害です。
- 進行するとうつ状態や認知症などの精神症状や、自律神経症状が出現します。

◆原因と対応・予防

原因	対応・予防
脳の黒質の神経細胞が変性・消失してドパミンという脳内物質が減少	○Ｌ－ドパなどの薬物療法が中心。ただしＬ－ドパは、長期間使用すると、不随意運動や精神症状の副作用が生じやすい ○全経過を通じてリハビリテーションを行う

9 その他の神経疾患

◆その他の神経疾患

筋萎縮性側索硬化症（ALS）	○徐々に全身の骨格筋が萎縮。数年で四肢麻痺、摂食障害、呼吸麻痺により自立困難となる ○眼球運動、膀胱直腸機能、知能や意識は末期までよく保たれる ○進行にあわせて胃ろう造設や人工呼吸器の使用が必要
脊髄小脳変性症	発病時には小脳の萎縮。ろれつが回らない、上肢運動の拙劣、上肢のふるえ、歩行がふらつくなどの運動失調が起こる

10 慢性閉塞性肺疾患（COPD）

- 通常、慢性気管支炎と肺気腫を総称して慢性閉塞性肺疾患（COPD）といいます。
- 喫煙が大きな原因となります。
- 主な症状は、喘鳴（ぜんめい）、大量の痰、呼吸困難（特に運動時）です。
- 高齢者では気道感染、肺炎、右心不全などを契機に急激に呼吸不全を起こすことがあります。
- 食欲不振、意識障害、ショック、脱水などの呼吸器症状以外の症状が初発症状として現れることがあります。
- 予防には、禁煙指導、感染予防（肺炎球菌ワクチン、インフルエンザワクチンの接種など）が重要です。

11 糖尿病

- 糖尿病の三大合併症は、神経障害、網膜症、腎症です。このほか、下肢の壊疽（えそ）や動脈硬化による慢性動脈硬化症、虚血性心疾患、虚血性腸炎などもみられます。
- 治療の基本は、食事療法、運動療法、薬物療法で、食事療法でもコントロールが不可能な場合に、薬物療法が行われます。
- インスリンや血糖降下薬投与中には、低血糖症状（特に自律神経症状）による転倒などに注意します。高齢者では、症状がみられないまま、意識障害を起こすことがあります。

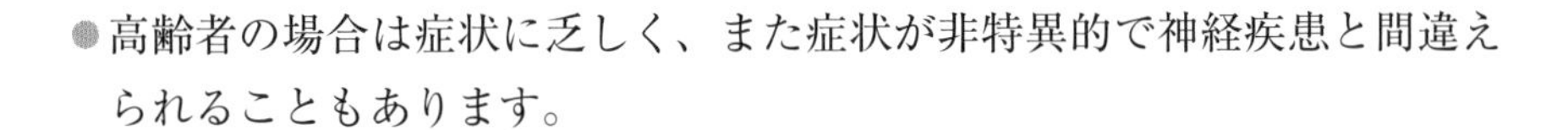

● 高齢者の場合は症状に乏しく、また症状が非特異的で神経疾患と間違えられることもあります。

12 筋・関節の疾患

◆筋・関節の疾患

関節リウマチ	原因不明の全身の免疫異常により起こる。症状は、初期には起床時の指のこわばり、全身倦怠感、関節の痛み、腫れ、熱感など。進行すると関節変形が起こり、微熱、食欲不振、貧血などの全身症状が現れる。症状には日内変動（朝のこわばり、昼間は動きやすく、夕方には動きにくい）がある。雨の日や寒い日には痛みが強くなる。治療は薬物療法、リハビリテーション、手術療法など。自助具や福祉機器も活用する
骨粗鬆症	骨密度が減少し、骨がもろくなる疾患。女性ホルモン低下（特に閉経）、運動不足、カルシウム不足、日光浴不足などが原因。カルシウム摂取と適度な運動、日光浴を心がけ、予防することが大切
大腿骨頸部骨折	高齢者に多いのは大腿骨頸部骨折などで、転倒によるものが多い。股関節を保護するヒップ・プロテクターを装着することで骨折のリスクが軽減できる
変形性膝関節症	関節の痛みは膝を深く曲げたときや長時間の歩行で出やすく、腫れ、水腫（水がたまる）を生じ、進行すると膝の屈伸がしにくくなる

13 尿失禁

● 高齢者に多いのは切迫性・溢流（いつりゅう）性・機能性の尿失禁です。

◆種類

切迫性	膀胱括約筋の弛緩、脳血管障害の後遺症。過活動膀胱（ぼうこう）ともいう
溢流性	尿閉が起こり膀胱にたまった尿が、圧力により漏れる
機能性	身体障害や認知症などのために、適切な排尿動作ができない
反射性	脊髄の病気。本人の意思とかかわりなく失禁がある
腹圧性	せき、くしゃみなどのちょっとした腹圧の上昇で失禁

14 皮膚の疾患

●皮膚疾患では、薬疹（やくしん）以外はウイルスや菌による感染症が多いので、感染源に対応した治療をします。

◆主な皮膚疾患

疥癬（かいせん）	ヒゼンダニによって起こる皮膚感染症。皮膚のやわらかなところにでき、激しいかゆみがある。ダニの数がきわめて多いノルウェー疥癬では、個室管理が必要。外用薬による治療、内服治療を行う
白癬（はくせん）・皮膚カンジダ症	いずれもカビの一種である菌により感染。外用薬による治療が基本。重症の場合や爪白癬では内服治療を行う
薬疹	薬のアレルギー。通常、服薬後１～２週間で発疹が現れる。原因薬をすみやかに中止する。使用期間にかかわらず発症する可能性もあるので注意が必要
帯状疱疹（たいじょうほうしん）	水痘・帯状疱疹ウイルスによって起こる。主に身体の右または左半身に、痛みを伴う小さな水ぶくれ（水疱）が集まるようにできる。早期治療で後遺症軽減

試験ではこう問われる！

高齢者にみられる疾病について正しいものはどれか。３つ選べ。

① 変形性関節症は、高齢者に多く発症する。

✕2 筋萎縮性側索硬化症（ALS）では、筋力低下による運動障害は生じない。
→ 四肢の筋力低下による運動障害が生じる

③ 高次脳機能障害における失語症には、話そうとするが言葉が出てこないという症状も含まれる。

✕4 パーキンソン病では、認知障害はみられない。
→ 精神症状（認知症やうつ状態など）がみられる

⑤ 骨粗鬆症は、骨折の大きな危険因子である。

〈R2－28〉 正答　１３５

2 バイタルサインと検査

バイタルサインでは基本的な測定の知識や、変化が表す意味、検査では検査値の変動が表す意味が大切です。また加齢変化の有無についてもおさえておきましょう。高齢者に起こりやすい症状や疾患と併せて、指標となる検査値を覚えておくとよいでしょう。

1 バイタルサイン

バイタルサインは、体温、脈拍、血圧、意識レベル、呼吸を指す

- 血圧は、高齢者は動脈硬化により高くなりやすく、特に収縮期血圧が高くなります。
- 高齢になると一般に脈拍数が少なくなりますが、重度の徐脈では意識障害や失神を伴います。

Key Point ◆ バイタルサインの変化と考えられる原因 ①

体温	発熱	感染症、脱水、膠原(こうげん)病など
	低体温	環境、低栄養、薬による体温調節機能不全など

Key Point ◆ バイタルサインの変化と考えられる原因 ②

脈拍	頻脈（ひんみゃく）（脈拍が多い）	脱水、発熱、炎症、甲状腺機能亢進（こうしん）症、うっ血性心不全など
	徐脈（じょみゃく）（脈拍が少ない）	心臓が弱っている。心疾患、脳血管障害、頭蓋内圧亢進、薬物作用（ジギタリス製剤など）、甲状腺機能低下症
	不整脈（脈拍リズムの乱れ）	健康な人でもみられるが、心臓拍動の異常を疑う。正確な判断には心電図を用いる
血圧	血圧上昇	怒りやストレス、緊張、入浴時や食事後、気温が低い
	血圧低下	全身の体力低下、心臓機能の低下、気温が高い
呼吸	頻呼吸（呼吸数が 1 分間に 25 回以上で、1 回の換気量が少ない）	発熱、心不全、呼吸器疾患
	徐呼吸（呼吸数が 1 分間に 9 回以下）	糖尿病性ケトアシドーシス、脳卒中などによる昏睡
	口すぼめ呼吸	鼻から吸い、口をすぼめてゆっくり吐くことで呼吸が楽になる（呼吸のときに胸腔内圧が高まり気管支が狭くなるため）。COPD 患者によくすすめられる
	起座呼吸（呼吸困難が臥位で増強し、起座位で軽減する）	左心不全でよくみられる。気管支喘息、肺炎、気管支炎

2 検査

- 急激な体重減少は、低栄養を疑います。
- 肝機能をみる AST（GOT）、ALT（GPT）の上昇は肝・胆道疾患、γ（ガンマ）-GTP 値の上昇は脂肪肝、アルコール性肝炎の指標となります。
- 血清クレアチニン値と血中尿素窒素の上昇は腎機能低下の指標となります。
- 炎症があると、CRP（C 反応性たんぱく質）や白血球数が増加します。
- ホルター心電図は、小型軽量の装置を身につけ、日常生活における 24 時間の心電図を測定するもので、入院する必要はありません。

- 脳梗塞や認知症が疑われるときは、頭部CT検査やMRI検査を行います。
- 尿検査は、尿路感染症の診断に有用です。

Key Point ◆その他検査項目と指標

検査項目	異常値のときの指標
血清アルブミン	低栄養、浮腫
LDLコレステロール	動脈硬化
HDLコレステロール	虚血性心疾患。善玉コレステロールともいわれ下限値が問題
経口糖負荷試験	糖尿病
白血球数	細菌感染や炎症で増加、ウイルス感染や再生不良性貧血で減少
血小板数	炎症で増加、肝硬変などで減少

試験ではこう問われる！

検査項目について適切なものはどれか。3つ選べ。

~~1~~ BMI（Body Mass Index）は、身長（m）を体重（kg）の2乗で除したものである。
BMI＝体重（kg）÷身長（m）^{2}

② 血清アルブミンの値は、高齢者の長期にわたる栄養状態をみる指標として有用である。

③ AST（GOT）・ALT（GPT）の値は、肝・胆道疾患の指標となる。

④ 血清クレアチニンの値は、腎機能の指標となる。

~~5~~ ヘモグロビンA1cの値は、過去1週間の平均的な血糖レベルを反映する。
過去1～2か月

〈R4－29〉 正答 2 3 4

3 介護技術

援助の基本は自立支援です。試験の設問でも、利用者の ADL の改善や QOL の向上に反するものは誤りと考えましょう。介護を必要とする原因や今後のリスクについての正しい理解、どのような援助が必要か、適切に導きだせる視点が大切になります。

1 食事の介護

口からの摂取を援助し、誤嚥を防止するため、食形態や食事のときの姿勢に配慮する

- 嚥下困難があっても、可能なかぎり自分で、口から食べられるようにくふうします。
- 体内における食物摂取の過程は、食欲→摂食→そしゃく→嚥下（えんげ）→消化・吸収→排泄の順序です。
- 嚥下の際に、食物が気道に誤って入ってしまうことを誤嚥（ごえん）といいます。
- 高齢者の食欲不振の原因は、多方面（感覚器の低下、薬の影響、歯や口腔の問題など）から検討することが大切です。

Key Point

●飲み込みやすい食品・食形態

○ドロドロ、半固形のもの

●嚥下困難を起こしやすい食品・食形態

○液体、スポンジ状、噛み砕きにくいもの、口腔内に貼りつきやすいもの

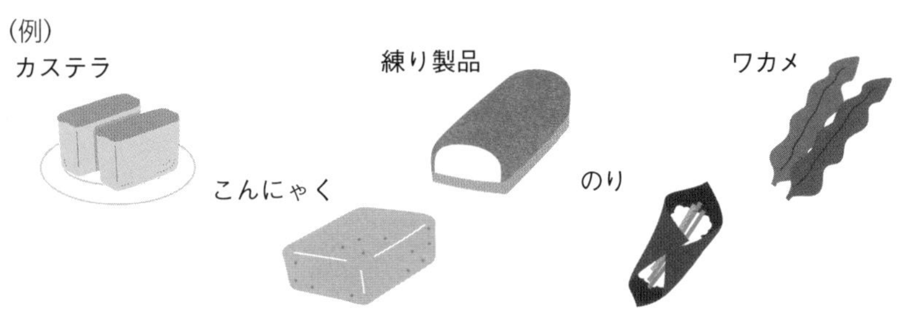

○その他　餅、麺類、酢の物など

※嚥下食を食べているときは脱水や便秘になりやすくなる
※姿勢は可能なかぎり座位にし、頭と身体をわずかに前に傾ける
※1回の量は少量ずつ（ティースプーン1杯程度）にする

嚥下困難となりやすい疾患

脳血管障害による片麻痺、認知症、パーキンソン病などが嚥下困難の原因疾患となります。

2 口腔ケア

高齢者はう蝕（虫歯）や歯周病になりやすい。誤嚥性肺炎などの予防、QOLとADLの維持・増進を図るためにも口腔ケアは大切

- 口腔の大きな機能として、そしゃく機能、嚥下、発音、呼吸があります。
- 高齢者は、口腔粘膜の萎縮、唾液分泌機能の低下、歯槽骨の吸収、そしゃく筋の筋力低下、歯と歯の間のすき間が大きくなるなどで、食物や歯垢（プラーク）がたまりやすく、う蝕（虫歯）や歯周病になりやすくなります。
- そしゃく機能を維持することで、嚥下機能や全身の筋力の維持、姿勢の制御にも大きな役割を果たします。
- 口腔ケアは、誤嚥性肺炎などの疾患を予防する効果もあり、QOLとADLの維持・増進を図るうえで非常に重要です。
- 経管栄養を行っている場合や歯がない（総義歯）場合は、唾液やそしゃくによる自浄作用が望めないため、積極的な口腔清掃が必要です。
- 口腔のアセスメントでは、口腔の機能、口腔の状態、口腔の清掃の状態、症状をポイントに評価します。
- 高齢者が義歯をしている場合は、少なくとも１日１回は取りはずして、研磨剤の入っていない義歯専用の歯磨き剤を使い、歯ブラシにより流水下でていねいに磨きます。夜はきれいな水の中に浸しておきます。殺菌・消臭のため補助的に義歯洗浄剤を使用することが望ましいです。

あわせてチェック　唾液の機能

唾液には、口腔の清掃作用、創傷の治癒（ちゆ）、義歯の装着時の安定、口腔諸組織の保護作用、味覚誘起、そしゃく・嚥下・発音の補助などの働きがあります。

3 睡眠の介護

●高齢者は、不眠症を引き起こしやすくなります。

Key Point ◆不眠症の種類

○入眠困難　寝床に入っても、なかなか寝つけない
○中途覚醒　夜間に目が覚めて、その後眠りにつきにくい
○早朝覚醒　早朝に目が覚めて、その後眠れなくなる
○熟眠障害　睡眠時間がある程度とれているが、眠りが浅くてすっきりと目覚めることができない

◆不眠の原因と安眠対策

不眠の原因	安眠対策
日中に居眠りが多く活動不足	日中に十分身体を動かし、規則的なリズムのある生活を送る
寝つきが悪い	入浴（足浴、半身浴も可）で適度な疲労感と爽快感を与え、睡眠に入りやすくする
就寝前のコーヒー、紅茶などの刺激物の摂取	就眠前にコーヒー、紅茶などカフェインを含む嗜好飲料は避ける
頻繁な尿意による夜間の覚醒	夕方からの水分摂取量を控える。昼間のうちに1日分の水分量をとる
不眠の原因となる症状や疾患（睡眠時無呼吸症候群、疼痛、認知症、うつ病、レストレッグス症候群など）	疾患については、専門的な診断や治療を受けてもらうようにし、対策をとる
就眠環境の変化や騒音、寝具や室温が合わないなど環境的要因	室温、湿度、照明に配慮し、本人が就眠しやすい環境にする
向精神薬、睡眠薬などの精神に作用する薬の作用	睡眠薬は安眠対策をとっても効果がない場合に処方されるが、安易な乱用は不眠の原因となるため注意する

4 褥瘡の介護

褥瘡は、発生要因を取り除く予防介護が重要となる

- 褥瘡（床ずれ）は、体重による圧迫が腰や背中、足などの骨の突起部に継続的に加わることに加え、皮膚の不潔、湿潤、摩擦、栄養状態の悪化などが発生要因となり、1～2日のうちにできることがあります。
- 麻痺や認知症などで寝返りができない、やせている人などは生じやすいです。
- 褥瘡の予防には、体位変換による圧迫除去、身体や寝衣、寝具の清潔保持、栄養状態の改善をすることが大切です。エアーマットレスなどの予防用具も補助的に活用します。
- できてしまった褥瘡の治療は、医療職に相談して対応します。
- 褥瘡初期の発赤部分へのマッサージをしてはなりません。

◆褥瘡のできやすいところ

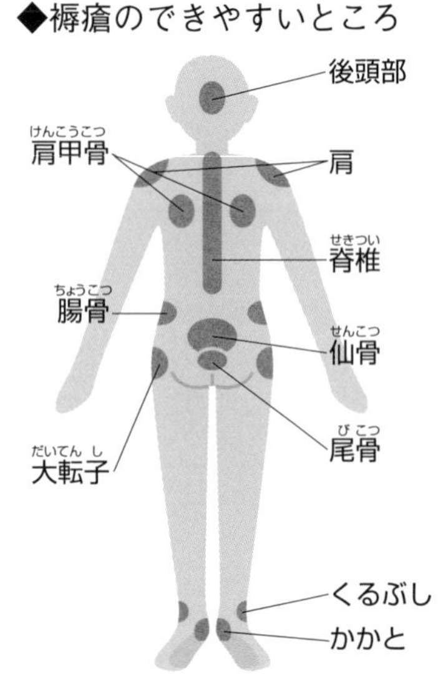

5 排泄の介護

排尿誘導や環境整備など、排泄の自立に向けた援助が重要となる

- 高齢者が可能なかぎり自立した排泄行動がとれるように援助します。

Key Point ◆排泄障害の種類

排尿障害	尿失禁、神経因性膀胱、頻尿など
排便障害	便失禁、下痢、便秘など

6 清潔の介護

入浴は、清潔保持効果が高いが、安全性に十分な配慮が必要

- 清潔には、生理的な意義、心理的な意義、社会的な意義があります。
- 入浴は清潔の保持効果が最も高い一方、体力の消耗も大きく、介護を行う際には安全性に十分配慮します。
- 入浴時には、急激な血圧の変動を避けるため、浴室と脱衣所の温度差を少なくしておきます。

試験ではこう問われる!

口腔機能や口腔ケアについて正しいものはどれか。3つ選べ。

1 摂食・嚥下は、中枢神経と末梢神経により制御されている。
2 嚥下反射により、食物が気道に入らないよう気管の入り口が閉鎖される。
~~3~~ すべての歯を喪失しても、咀嚼能力は低下しない。
（そしゃく能力や運動能力の低下につながる）
4 脱落した粘膜上皮細胞も、口臭の原因となる。
~~5~~ 口腔内を清掃する際は、義歯は外さない。
（取りはずせる義歯ははずす）

〈R1－29〉 正答 1 2 4

保健医療サービス分野 〈医療・介護技術〉

4 リハビリテーション

リハビリテーションの機能、リスク管理、疾患別のリハビリテーションの注意点に関する知識が求められます。

1 リハビリテーションでのリスク管理

- 主な障害や症状を理解することで、基本的動作能力の低下などにつながるリスクを予測し、管理することが重要です。
- 運動が制限される疾病や障害の有無を確認します。
- 特に運動の許容範囲と強度、中止基準の把握が重要です。

◆配慮すべき主な障害・症状

失認	意識障害や感覚障害はないのに、対象となるものの意味が理解できなくなること。左片麻痺によくみられる左半側空間無視（失認）では、左側から話しかけても反応が鈍い
失語症	脳卒中の後遺症などによる、左脳にある大脳の言語中枢の損傷が原因。話すこと、聞いて理解すること、読み書きなどの能力に障害のある状態で、右片麻痺に合併することが多い

痙縮（けいしゅく）	筋肉の緊張が異常に高まった状態。過度になるとリハビリテーションを妨げ、正しい動き方の学習を阻害し、日常生活や介護に支障をきたす
感覚障害	動作が困難になるほか、手足の位置を確認せずに運動して手足を傷つけたり、転倒したりする危険がある。重度になると温度や痛みを感じないため、やけどや褥瘡が起こりやすくなる。特に低温やけどに注意が必要
痛みやしびれ	痛みの性質と原因をよく理解する
歩行障害	神経疾患、変形性関節症や骨折などの骨関節疾患に加え、心臓や肺の疾患によっても起こる
精神的問題	特に認知症とうつ状態への対応が重要。回想法などの療法や身体運動の励行、環境整備などで生活のリズムをつくり、活動性の維持・向上を図る

試験ではこう問われる！

高齢者のリハビリテーションについて、より適切なものはどれか。3つ選べ。

1. 安静臥床が続くと心肺機能などが低下するため、早期離床を図る。
2. ✕ 左半側空間失認では、右半分に注意を向けるようなリハビリテーションの工夫をする。

3. リハビリテーションでは、低血糖発作の出現、痛みの増悪、転倒リスクの増大などに対する注意が必要である。
4. ✕ 福祉用具の給付は、障害者総合支援法が介護保険法に優先する。

介護保険法が優先

5. 回復期リハビリテーションでは、機能回復、ADLの向上及び早期の社会復帰を目指す。

〈H29－38〉 正答 1 3 5

保健医療サービス分野 〈医療・介護技術〉

5 認知症と認知症の介護

認知症は、毎年必ず出題される最重要項目です。認知症の中核症状とBPSDに対する正しい理解、アルツハイマー型認知症と血管性認知症など各認知症の症状、診断、治療、療法的アプローチ、認知症に対する地域ケア体制などを理解していきましょう。

1 認知症の症状

認知症の症状は、中核症状とBPSDに大きくわけられる

- 認知症の症状は、脳の細胞が壊れることにより必ず現れる**中核症状**と二次的に現れることの多い**BPSD**（認知症の行動・心理症状）に大きくわけられます。
- BPSDは、薬物の副作用、不適切な環境、心理的問題などが発症誘因となり現れる症状で、改善が難しい中核症状と異なり、環境調整や適切な医療・ケアによる予防や改善が可能です。

◆認知症の中核症状とBPSD

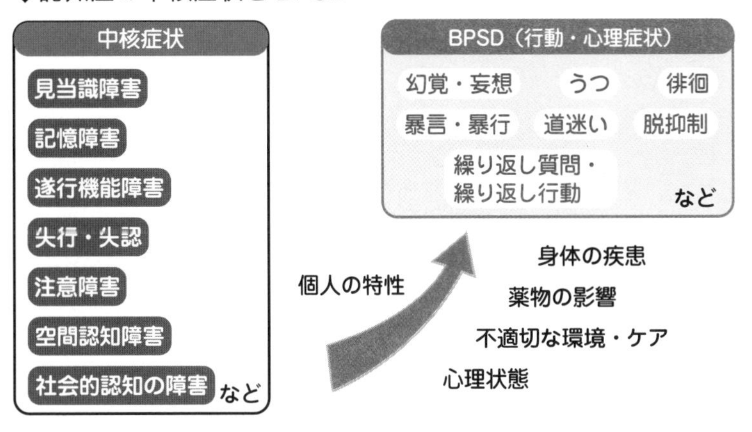

2 各認知症の特徴

- 認知症の原因となる疾患にはさまざまなものがありますが、特に高齢者に多いのは、アルツハイマー型認知症と血管性認知症です。

Key Point ◆アルツハイマー型認知症と血管性認知症の比較

	アルツハイマー型認知症	血管性認知症
原因・脳の状態	○脳にβ（ベータ）たんぱくとタウたんぱくが異常蓄積し、脳の萎縮により神経細胞が減少	○脳血管障害による大脳白質の病変や組織の障害、血流障害
特徴	○初期から記憶障害（特にエピソード記憶、近時記憶の障害が著しい） ○進行すると身体機能が低下	○認知反応が遅くなり、アパシーやうつ状態を起こしやすい ○脳の病変により運動障害、嚥下障害など

- レビー小体型認知症では、レム睡眠行動障害や具体的で詳細な内容の幻視、うつ、嗅覚低下などが特徴。パーキンソン症状や起立性低血圧、失神、便秘などの自律神経症状も多くみられます。

●前頭側頭型認知症では、反社会的な衝動的行動、同じ行動を繰り返しする（常同行動）などがみられます。

3 認知症の診断・治療

CT、MRI（核磁気共鳴画像法）などの所見をもとに鑑別診断する。認知症に伴う症状の改善や進行を遅らせる薬がある

●長谷川式認知症スケール（HDS-R）、MMSE（Mini-Mental State Examination）により、認知機能を簡便に評価することができます。

●認知症の鑑別診断は、CT（コンピュータ断層撮影法）、MRI（核磁気共鳴画像法）のほか、症状によっては脳血流SPECTなども行われます。

●治療では、アルツハイマー型認知症、血管性認知症ともに薬物による根治的治療は困難ですが、認知症に伴う症状の改善や進行を遅らせる効果のある薬が使用されます。

●2023（令和５）年12月から、軽度認知障害（MCI）や軽度のアルツハイマー型認知症の人に対して、レカネマブが保険適用となりました。原因物質に直接作用し、認知症の進行を抑制する効果があるとされています。

治療可能な認知症

認知症の原因疾患には、変性疾患、脳血管障害のほかに、外傷性疾患、感染性疾患、内分泌代謝性疾患、中毒、脳腫瘍、慢性硬膜下血腫、正常圧水頭症などがあります。このうち、脳腫瘍、慢性硬膜下血腫、正常圧水頭症などは、内科治療や外科手術で治療可能です。

4 パーソン・センタード・ケア

●パーソン・センタード・ケア（PCC）は、「その人を中心としたケア」の理念で、認知症をもつ人を尊重し、その人の視点や立場に立ってケアを行います。

●「与えるケア」ではなく、「心の通うケア」を重視します。

5 認知症をめぐる動向や事業

- 認知症疾患医療センターの整備が進められ、認知症サポート医やかかりつけ医、地域包括支援センターとの連携強化がされています。
- 都道府県ごとに配置される若年性認知症支援コーディネーターは、①本人や家族、企業などからの相談支援、②市町村や関係機関とのネットワークの構築、③若年性認知症の理解の普及・啓発を行っています。
- 認知症初期集中支援チームは、地域包括支援センターなどに配置され、認知症が疑われる人や認知症の人、その家族を複数の専門職が訪問し、初期の支援を包括的、集中的に行います。
- 2019（令和元）年には、新オレンジプランを引き継ぐ認知症の人や家族の視点を重視し、「共生」と「予防」に注力する認知症施策推進大綱がとりまとめられました。
- 2024（令和６）年１月、「共生社会の実現を推進するための認知症基本法（認知症基本法）」が施行されました。

試験ではこう問われる！

認知症について適切なものはどれか。２つ選べ。

×1 BPSD（認知症の行動・心理症状）は、住環境などの環境因子の影響は受けない。 → 強く受ける

②2 若年性認知症は、うつ病など、他の精神疾患と疑われることがある。

×3 前頭側頭型認知症では、リアルな幻視やパーキンソニズムが特徴である。 → レビー小体型認知症の特徴

×4 パーソン・センタード・ケアは、介護者本位で効率よく行うケアである。 → 認知症の人を尊重し、その人の視点や立場に立って行う

⑤5 介護支援専門員が、利用者本人の同意を得て、心身の変化などを主治医に伝えることは、よりよい医療につながる。

〈R4－32〉 正答 2 5

保健医療サービス分野 〈医療・介護技術〉

6 せん妄と精神障害

せん妄は意識障害の一種で、認知症のBPSDに合併しやすいのですが、認知症と異なり、原因・誘因を取り除くことで改善します。精神障害では、老年期うつ病について、発症の原因や、症状（うつ病では特に高齢者の特徴）、治療についてよく問われます。一通りポイントを理解しておきましょう。

1 せん妄

軽い意識混濁、一過性の認知機能低下、見当識障害、興奮、錯乱、幻覚などの精神症状を伴う状態

- 軽い意識混濁（こんだく）に加えて一過性の認知機能低下、見当識障害、不眠、興奮、錯乱（さくらん）、幻聴、幻覚などさまざまな精神症状が現れます。
- 夜間に症状が現れる夜間せん妄が多いのも特徴です。
- 脳血管障害や頭部外傷、薬の副作用、重篤（じゅうとく）な全身疾患のほか、睡眠や覚醒リズムの障害、環境や生活リズムの変化、手術前などの不安、アルコール摂取、脱水、感覚遮断でも引き起こされます。
- 原因・誘因を取り除き、薬物治療を行えば、通常は数週間でおさまります。

2 うつ病

- 親しい人との死別、社会的役割の喪失などの環境・心理的な要因や、慢性疾患の合併などの身体的要因が発症誘因となります。
- 症状は、抑うつ気分、行動や思考の抑制などです。
- 高齢者では、集中力や判断力の低下のみが目立ち、認知症と間違われることがあります。
- 早めに医師の診断を受け、抗うつ薬の投与など治療を受けます。

3 アルコール依存症

- 高齢での発症は、身体的老化や喪失体験、社会的孤立などの環境の変化がきっかけとなることが多いです。
- 糖尿病、高血圧のほか、認知症やうつ病を合併しやすいという特徴があります。
- 離脱治療と依存治療を行います。断酒会への参加などもあります。
- 老年期に発症した場合は、若年期に発症した場合よりも治療への反応は良好です。

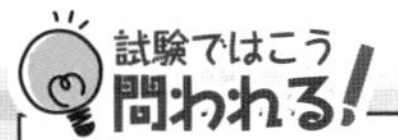

老年期の精神障害について適切なものはどれか。3つ選べ。

✕1 老年期うつ病では、心気的な訴えは少ない。 → 多い

②老年期うつ病では、気分の落ち込みよりも、不安、緊張、焦燥が目立つ。

③老年期の統合失調症の症状の再発は、配偶者や近親者の死が要因となることがある。

✕4 老年期のアルコール依存症は、認知症を合併することはない。 → 認知症を合併しやすい

⑤遅発パラフレニーは、老年期の妄想性障害の代表的な疾患とされている。

〈R2－35〉 正答 2 3 5

保健医療サービス分野 〈医療・介護技術〉

7 栄養管理・食生活の支援

高齢者の栄養については、低栄養への理解も含めて問われることが多くなっています。低栄養の症状、血清アルブミン値などの検査値、または食事の介護などの複合問題で問われることもあります。

1 食生活の重要性

- 高齢者の食生活には、栄養管理に加えて、食事を通しての自立や生きる希望をもてるような支援が必要です。
- 高齢者では、たんぱく質やエネルギー不足への対応が重要です。
- 低栄養があると、フレイル（筋力や活動が低下している状態）、サルコペニア（加齢に伴う骨格筋量の減少。近年ではフレイルの一部として、筋力や身体機能の低下を含める場合も）につながります。活動の意欲低下、身体機能の低下、エネルギー消費量の低下、食欲の低下となり、さらに低栄養状態を促進するという悪循環に陥りやすくなります。

◆低栄養の悪循環

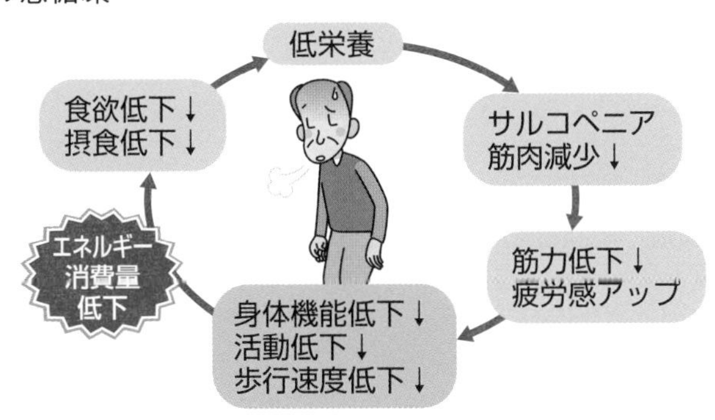

- 健康寿命延伸のため、特に後期高齢者では、フレイル予防が重要となります。

フレイルの多面性

フレイルには、身体的フレイルのほかに、精神・心理的フレイル（軽度認知障害、うつなど）、社会的フレイル（閉じこもり、孤立など）があります。これらは、互いに影響し合う多面性を持っています。

2 栄養と食事のアセスメント

- 高齢者の栄養問題は、いくつもの問題点が複合的に絡んで生じるため、総合的なアセスメントが求められます。

Key Point ◆総合的なアセスメントの主な内容

○おいしく食べるための食事の状況（食欲や共食の機会の有無）
○食事環境（食事の準備や調理、買い物も含む）
○生活パターン
○経済面
○口腔内の状態（清潔が保たれているか、義歯の適合など）
○食生活や食事療法についての知識など

◆確認するデータ

身体計測	体重・身長・BMI、上腕周囲長、下腿周囲長	●いずれも栄養状態を示す ● BMI が 18.5 未満は低体重 ●上腕周囲長は、骨格、内臓、筋肉などの総和を反映 ●下腿周囲長は体重を反映。浮腫の有無の判断目安となる
食事摂取量		何を残すのか、なぜ食事が進まないのかなどを把握する
水分摂取量		●食事摂取量が減少すると水分摂取量の不足も考えられる ●高齢者は口渇感の低下や頻尿などで、意識的に水分摂取量を制限していることがある。脱水に注意
栄養補給法		経管栄養法や静脈栄養法を実施している場合は、栄養補給が十分でない場合もあり、感染症などのリスクも考慮する
褥瘡の有無		栄養状態の悪化は、褥瘡の発生要因となる
服薬状況		薬の副作用が、口渇による唾液分泌低下、味覚低下、味覚異常、食欲低下、生活機能の低下、ADL の低下、便秘などに影響していることがある

3 栄養管理と支援

● 介護支援専門員は、ケアプランの作成にあたり、栄養状態の改善や食生活の支援を適切に行うため、管理栄養士、医師、保健師、薬剤師などの専門職種と相互に情報交換を行う必要があります。

Key Point ◆高齢者の課題に応じた支援の方法

○低栄養の場合　高齢者は、さまざまな要因により、エネルギーやたんぱく質が欠乏して低栄養状態となりやすい。さらに、基礎代謝や消費エネルギー量の低下、食欲減退などが負の循環を招き、フレイルや要介護状態につながることがある。食欲がないときには、①少量ずつでも食べたいものを食べたいときに食べる、②エネルギーやたんぱく質が比較的多くとれる食品（アイスクリーム、プリン、牛乳、チーズなど）をとる、③間食や捕食などでエネルギーを補う、などの対策をとる

○疾病がある場合（主に生活習慣病）　高齢者では、メタボリックシンドロームなどの過栄養も少なくない。特に、糖尿病、脂質異常症、高血圧などの生活習慣病への対応が重要となる。医師の指示に基づく食事療法や適切な服薬、居宅療養管理指導の利用なども検討する

◯認知症高齢者の場合　認知症がある場合は、食事中の傾眠、失認、拒食、偏食のほか、徘徊、異食、盗食など、BPSDへの対応が重要である。食事支援では、摂取の促しや安全面への配慮が必要となる。具体的には、声かけ、見守り、食事環境へのはたらきかけなどを行う

◯摂食・嚥下障害がある場合　高齢者は歯の欠損によるそしゃく能力の低下や筋力低下、唾液の分泌量の減少などから、摂食・嚥下障害を起こしやすくなる。食事の姿勢やテーブル・座席の調整、食器類の変更、食品や食形態への配慮などにより、誤嚥や窒息を防ぎ、食事時の安全を確保する

試験ではこう問われる!

高齢者の栄養・食生活について適切なものはどれか。3つ選べ。

1 必要な栄養を食事では摂りきれない場合でも、間食で補うことは適当でない。（必要な栄養が摂れなければ間食や補食で補う）

2 咀嚼能力や唾液分泌の低下などから、摂食・嚥下障害を起こしやすい。

3 食事中に口から食べ物をこぼす場合、口腔・嚥下機能評価を行うとよい。

4 食べることを通じて尊厳ある自己実現を目指す。

5 食事支援では、介護する家族の状況を考える必要はない。（家族の状況もアセスメントする必要がある）

〈R4－36〉　正答　2 3 4

保健医療サービス分野 8 〈医療・介護技術〉

薬の作用と服薬管理

高齢者の薬の相互作用や薬の体内での作用、薬を服用する際の留意点のほか、最近では、副作用に関する設問も多くなっています。神経に作用する薬であればどのような症状が起こり得るかなど、大きな枠組みで整理して覚えておくことがポイントになります。

1 薬の相互作用

高齢者は薬の相互作用、薬の作用の増強が現れやすくなる

- 高齢者は、複数の薬を併用していることが多いため、薬の相互作用による副作用が起こりやすくなります。
- 単剤を常用量で服用する場合にも、生理・生体機能の低下から、薬効や副作用が強く出すぎることがあります。
- 高齢者では副作用の典型的な症状が現れにくいので注意が必要です。

2 薬の体内での作用

- 加齢に伴うさまざまな生理･生体現象の変化は、薬の生体内での作用（吸収、代謝、排泄など）に影響を与えます。

- 一般用医薬品のほか、健康食品、特定保健用食品、特定の飲料などにも薬の作用に影響を与えるものがあるので、併用してもよいかどうかの確認を必ず行います。

3 服薬管理

- 利用者や家族には、薬の効果や副作用、服用方法についてわかりやすく説明します。
- 「お薬手帳」のほか、写真つきで、大きな文字でわかりやすく書かれた「お薬説明書」などを渡すこともあります。
- 視覚や聴覚の低下があっても、できるだけ利用者自身が管理できるようなくふうをします。

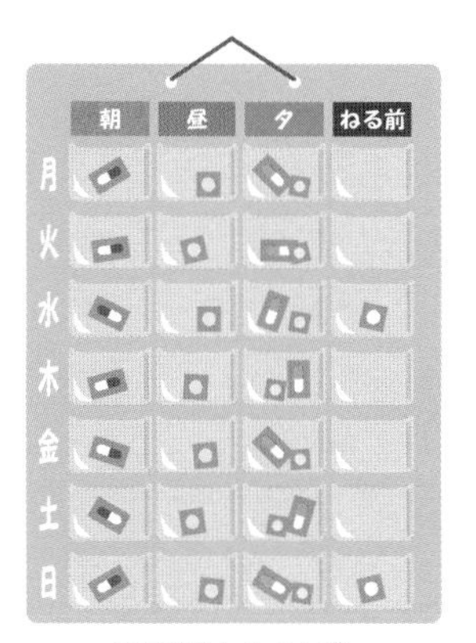

●服薬カレンダー

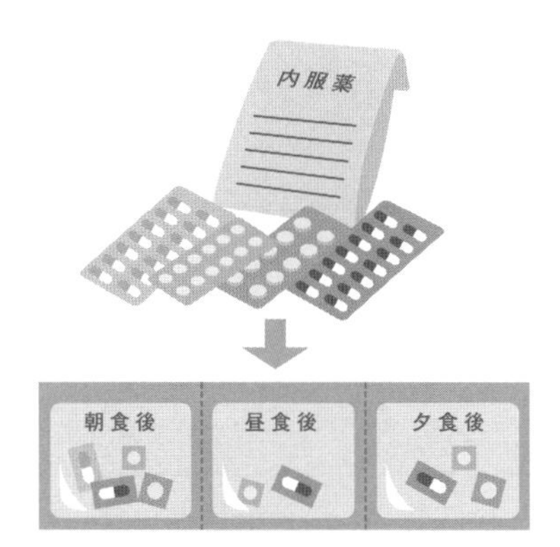

●薬の一包化

4 薬の服用時の留意点

- 食道潰瘍(かいよう)などを防ぐために、薬は上半身を起こした状態で多めの水、白湯で服用します。嚥下障害がある場合は、お粥と一緒に飲む、ゼリーに埋め込むなどのくふうをします。
- 飲み込みにくい場合でも、錠剤やカプセル剤は製剤学的なくふうがなされている場合があり、つぶしてよいかは専門的な判断が必要です。
- 口腔内で水なしで溶けるOD錠や舌の下で溶かす舌下(ぜっか)錠やバッカル錠、貼付薬など、状態等に応じた薬の形態を考慮します。

● OD錠は口腔粘膜から吸収されないため、唾液や少量の水で飲み込む必要があります。

5 薬に関する情報の管理と共有

● サービス担当者会議などで、利用者が服用する薬の目的や作用、主な副作用の症状、緊急時の連絡方法などについてケアチーム全体で共有することが大切です。

● お薬手帳は、薬の記録情報を利用者本人が管理するものです。お薬説明書（添付文書）と併せて活用することが勧められます。

● 在宅基幹薬局は、通院困難な利用者に対し、居宅を訪問して薬の管理を担う主たる薬局です。在宅基幹薬局が対応できないときは、連携する在宅協力薬局が利用者宅を訪問して対応します。

次の記述のうち適切なものはどれか。3つ選べ。

① 薬剤師は、薬剤を処方してはならない。

~~2~~ 介護職員は、服薬介助を行ってはならない。 → 医療職の指示の下で一包化された内服薬の服薬介助を行う

③ 医療用医薬品と健康食品の併用による有害な相互作用の可能性について注意が必要である。

~~4~~ 薬の変更や中止で重篤な症状が起こることはない。 → 重篤な症状が起こることがある

⑤ 内服薬は、通常、水またはぬるま湯で飲む。

〈R4－34〉 正答 1 3 5

保健医療サービス分野 〈医療・介護技術〉

9 感染症

感染症は、高齢者の場合症状が目立たず、非特異的な症状、せん妄などの精神症状が現れやすいといえます。病原菌や原因ウイルス、対応についての正確な知識が重要です。予防接種についてもおさえておきましょう。

1 感染予防

- 感染の有無にかかわらず、すべての人は感染する可能性があると考える標準予防策（スタンダード・プリコーション）を行います。
- 感染症を発症している利用者に対しては、標準予防策に加えて、感染経路別予防策が行われます。

Key Point ◆標準予防策

○患者の接触前後には流水と石けんによる手洗いと消毒を実施。手のひら、指先、指の間、親指、手首まで実施（手袋をはずしたあとも行う）
○血液、体液、分泌物、排泄物などを扱う場合には、個人防護具（手袋やマスク、必要に応じてゴーグル、ガウン、エプロンなど）を着用
○咳やくしゃみなどの症状がある人はマスクを着用（咳エチケット）

Key Point ◆感染経路別予防策

感染経路	主な感染症	対策
接触感染 (利用者、物品などとの接触で、手指を介し感染)	ノロウイルス感染症(嘔吐物などの処理時は飛沫感染)、腸管出血性大腸菌感染症、疥癬(かいせん)など	手指の衛生を励行 嘔吐(おうと)物など処理時に個人防護具を着用
飛沫感染 (咳、くしゃみ、会話などでの飛散粒子で感染)	新型コロナウイルス感染症、インフルエンザなど	飛沫粒子は約1mで落下するため、患者の2m以内でケアを行う場合は、使い捨てマスクを着用
空気感染 (空中を浮遊する飛沫核で感染)	結核、麻疹、水痘(すいとう)など	麻疹や水痘では、免疫をもつ人が介護・看護にあたる。それ以外の職員では、高性能マスクを着用。個室管理
血液感染	B型肝炎ウイルス、C型肝炎ウイルス、HIV	血液や体液に直接ふれることがないかぎり感染の心配はない。医療従事者が誤って注射針を刺してしまうといった事故に注意

2 高齢者の予防接種

- インフルエンザワクチン、肺炎球菌ワクチンの接種が推奨されます。特に慢性閉塞性肺疾患の人では、接種が重要です。

3 施設で感染しやすい感染症：MRSA感染症

MRSAは常在菌であり、保菌者については隔離する必要はない

- MRSA（メチシリン耐性黄色ブドウ球菌）は常在菌ですが、抵抗力が低下した人では発病し、難治性となる可能性があります。
- 保菌者に対しては隔離する必要はありません。
- 治療には、複数の薬の併用が行われます。

4 施設で感染しやすい感染症：ノロウイルス感染症

患者の便や吐物には、大量のウイルスが排出されるため、使い捨てのガウン、マスクや手袋を装着し、処理後に次亜塩素酸ナトリウムで調理器具や食器類、床を拭き取るなどの二次感染予防が重要となります。

5 高齢者に多い感染症

- 呼吸器感染症は、肺炎（誤嚥性肺炎を含む）、気管支炎、膿胸、肺結核などです。予後不良となる場合も多くみられます。
- 尿路感染症は、膀胱炎や腎盂炎などです。重症になると、腎不全や敗血症性ショックをきたす場合があります。
- 褥瘡感染症は、褥瘡部位の壊死組織が感染の温床となることがあるためによくみられます。敗血症の原因となることもあります。
- 敗血症は、血液中に細菌が入り（菌血症）、活発に増殖している状態で、重篤な疾患です。主な症状は、高熱や悪寒、ショック状態、乏尿、呼吸困難などですが、高齢者の場合、発熱しないこともあります。

試験ではこう問われる！

感染症の予防について適切なものはどれか。3つ選べ。

1. 標準予防策（スタンダード・プリコーション）とは、感染症の有無にかかわらず、すべての人に実施する感染予防対策である。
2. 感染症を予防するためには、感染源の排除、感染経路の遮断、宿主の抵抗力の向上が重要である。
3. ✕ 手袋を使用すれば、使用後の手指衛生は必要ない。…… 必要
4. インフルエンザの主な感染経路は、飛沫感染である。
5. ✕ 肺炎球菌ワクチンを接種すれば、すべての肺炎を予防できる。…… 肺炎球菌感染症の予防に有効

〈R2－39〉 正答 1 2 4

保健医療サービス分野 〈医療・介護技術〉

10 在宅医療管理

在宅医療管理は、毎年出題され、出題量も多くなっています。難易度はそれほど高くありませんが、在宅酸素療法や在宅人工呼吸療法などそれぞれの医療管理の基本知識、リスク管理という観点から、必要な対応について問われます。

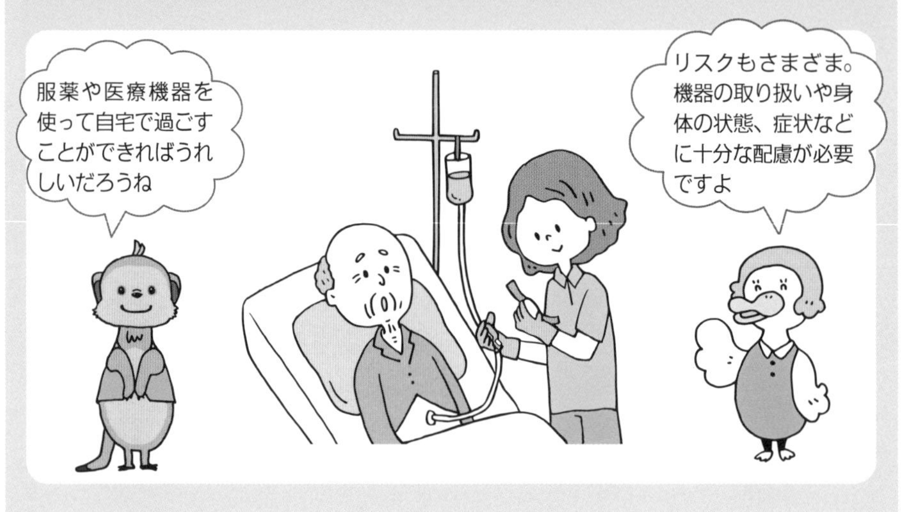

1 在宅自己注射

- 高齢者で多いのは、糖尿病治療のためのインスリンの自己注射です。
- 食事摂取量の低下により、低血糖を生じることが多いです。
- 血糖コントロール不良により、高血糖による昏睡が起こることもあります。
- シックデイの際の対処、食事摂取量の観察や意識レベルの観察が重要です。

2 悪性腫瘍疼痛管理

- 悪性腫瘍疼痛管理（あくせいしゅようとうつう）では、医療用の麻薬も使われます。
- 麻薬の副作用には主に吐き気、嘔吐、眠気、便秘、まれにせん妄がありますので、その場合に早期に対応できる体制づくりが必要です。
- 薬の形式は、経口薬、貼り薬、座薬、舌下錠、バッカル錠、注射薬や自動注入ポンプによる注射薬の注入もあります。

3 人工透析

血液透析と腹膜透析がある

- 血液透析は透析器により4～5時間かけて血液を浄化する方法で、透析施設に週2～3回通院が必要です。
- 血液透析では血液の通過口となるシャントを手首などにつくる必要があり、ふだんの生活でも、シャント側の圧迫を避けるよう注意します。
- 腹膜透析は、腹膜を通して、老廃物や余分な水分を除去する方法で、通院は月1～2回で済みます。

4 在宅中心静脈栄養法

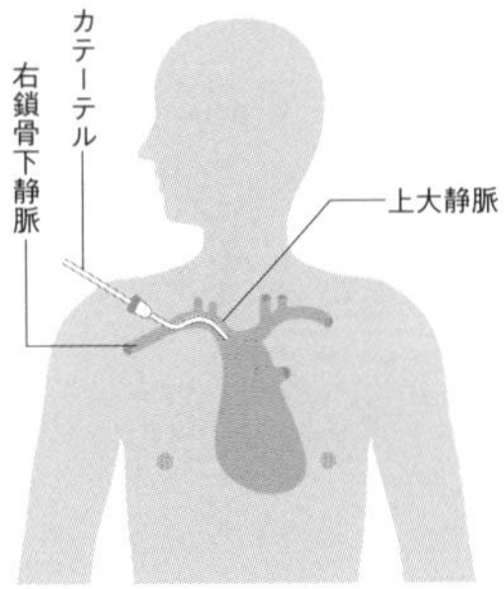

カテーテル
右鎖骨下静脈
上大静脈

- 中心静脈栄養法は、点滴栄養剤（高カロリー液）を血管に直接入れる方法です。
- 鎖骨下などから、中心静脈（心臓に近い太い上大静脈）にカテーテルを留置し、栄養を供給する方法がよく行われています。
- 点滴時にのみ、埋め込んだポートとカテーテルをつなぐ完全皮下埋め込み式は、日常生活の制限は少ないです。
- 感染予防のため、カテーテル刺入部などの清潔に配慮したケアを行います。

5 在宅経管栄養法

経鼻胃管、胃ろう、食道ろう、空腸ろうがある。経鼻胃管と胃ろうが多い

- 胃ろうは､少量なら経口摂取が可能な場合､並行して行うことがあります。
- 胃ろうには、体外の形によりチューブ型とボタン型、胃の中の形によりバルーン型とバンパー型があります。
- 胃ろうに留置しているカテーテルが抜けると、胃ろうは閉鎖するため、突然抜けた場合に備え、医療職への連絡体制の確認が必要です。

- カテーテルとろう孔周囲の皮膚の観察、清潔ケアが重要です。
- 経管栄養食の注入は、適切な速度で、上半身を30度以上起こした状態で行います。

6 在宅酸素療法（HOT）

火気厳禁であり、禁煙指導も必要

- 利用者が呼吸の息苦しさを訴えても、安易に酸素吸入量を増やしてはなりません。CO_2 ナルコーシス（血中の二酸化炭素の増加による意識障害などの中枢神経症状を伴う状態）を生じるおそれがあります。
- 導入中は、禁煙が必要です。また、高濃度の酸素を扱うため火気厳禁で、酸素供給器は、火気から2m以上離すことが必要です。

7 在宅人工呼吸療法

気管切開のほか、経口、経鼻といった方法も用いられる

- マスクなどを装着して実施するNPPV（非侵襲（しんしゅう）的陽圧換気法）と、気管切開などをして実施するIPPV（侵襲的陽圧換気法）があります。
- 多く行われているのはNPPVで、在宅酸素療法と併用している場合もあります。
- 器具はコンパクトなので車いすでの外出や旅行などが可能です。
- 機器のトラブルは取扱業者が対応しますが、トラブルか体調不良か判断がつかない場合は医療職へ連絡します。
- 急変時や災害時、機器の故障時に備え、主治医や呼吸器供給業者への連絡体制を確認しておきます。

8 痰の吸引

- 研修を受けた介護職員等は一定の条件の下で痰の吸引・経管栄養を実施できます（2012〔平成24〕年4月より）。
- 吸引器は、介護保険の対象とならないため、自費でレンタルまたは購入

が必要ですが、身体障害者手帳の交付を受けている場合、購入の補助が受けられることもあります。

9 尿道カテーテル法

- バルーンカテーテル法は、尿道口からカテーテルを膀胱内に挿入・留置し、持続的に尿を排泄させる方法です。
- 蓄尿バッグは膀胱より低い位置を保ち、歩行時のバッグの位置のくふうや指導が必要です。
- 尿路感染のリスクが高いため清潔に留意して操作を行います。

在宅医療管理について正しいものはどれか。3つ選べ。

1 在宅中心静脈栄養法は、医療処置として栄養を補う方法である。

2 在宅中心静脈栄養法では、長期にカテーテルが体内にあるが、細菌感染を引き起こすことはない。

細菌感染を引き起こすことがあるので予防の配慮が必要

3 ストーマには、消化管ストーマと尿路ストーマがある。

4 腹膜透析の管理について、利用者や家族が在宅で処置を行うことは禁止されている。

利用者や家族が処置を行う

5 在宅酸素療法では、携帯用酸素ボンベを使用して外出することができる。

〈R2－40〉 正答 1 3 5

保健医療サービス分野 〈医療・介護技術〉

11 ターミナルケア

ターミナルケアについては、ここ数年大変出題割合が高くなっています。本人の意思決定の支援、臨終が近づいたときの兆候やケアの理解などについておさえておきましょう。

1 ターミナル期の支援

- ターミナルケアを行う場所は、自宅のほか、認知症グループホームなどの「自宅に代わる地域の住まい」、介護保険施設なども想定されています。
- 本人の尊厳を重視するためにも、どのような医療や介護を望むのかという意思の事前確認は重要です。
- 「人生の最終段階における医療・ケアの決定プロセスに関するガイドライン」(2018〔平成30〕年厚生労働省)では、アドバンス・ケア・プランニング(ACP)の重要性を強調しています。
- ACPは、人生の最終段階における医療・ケアの方針について、本人が家族等や医療・介護従事者と事前に話し合うプロセスをいい、「人生会議」という愛称で呼ばれます。
- 食事の支援では、量よりも楽しみや満足感を重視します。

- 状態に応じ、無理のない範囲で好きな活動を続けられるようにします。
- 傾眠がちになった場合は、可能な範囲で、車いすの利用などにより離床できる時間を確保し、日中のリズムをつけます。

2 臨終が近づいたときの兆候、ケア

- 混乱がひどく興奮が激しい場合、精神薬の処方も検討し、医師・看護師に相談します。
- 息切れや苦しさがある場合は、安楽な体位やマッサージなどで苦痛の緩和を図り、安心感を与えます。
- 痰のからみやのどの違和感については、口腔内清掃、吸引などをします。
- チェーンストークス呼吸になることもありますが、しばらくすると再開します。下顎呼吸が始まると、臨終が近い状態です。
- 家族の不安や悲しみに寄り添い、急変時の対応や対処方法についても確認して、統一を図っておきます。

試験ではこう問われる!

ターミナルケアについて、より適切なものはどれか。3つ選べ。

1. 人生の最終段階を穏やかに過ごすことができる環境の整備は、法律に基づく政府の努力義務とされている。
2. 介護保険の特定施設は、看取りの場となり得る。
3. ✕ 看護師は、死亡診断書を作成することができる。
   → 医師または歯科医師のみ
4. ✕ 痛みの訴えは、身体的な要因によるものであるため、医療処置で対応できる。
   → 痛みは精神的な要因からも生じ、医療処置以外の手段も有効
5. グリーフケアとは、遺族の悲嘆への配慮や対応を行うことである。

〈R5－40〉 正答 1 2 5

保健医療サービス分野

12 〈各論〉保健医療サービス

毎年5問程度出題されています。それぞれのサービスの内容、サービスの担当者、サービスの目的や方針、介護報酬については整理して覚えておきましょう。

1 訪問看護

療養上の世話と医療処置（診療の補助）を組み合わせる在宅支援に特徴がある。リハビリテーション、在宅での看取りの支援も行う

- 看護師、准看護師、保健師、理学療法士、作業療法士、言語聴覚士がサービスを担当します。
- 管理者は、原則として、常勤の保健師または看護師でなければなりません。
- 訪問看護の開始時には、主治医の指示を文書で受けなければなりません。看護師などが訪問看護計画書・訪問看護報告書を作成し、これらは事業所の管理者が定期的に主治医に提出します。

Key Point ◆訪問看護の介護保険と医療保険の区分け

○要介護者等であっても、下記の場合は例外的に医療保険から給付される
①急性増悪時の訪問看護（医師の特別訪問看護指示書の交付により、1か月に原則1回にかぎり、14日を上限）
②末期悪性腫瘍や神経難病患者などへの訪問看護
③精神科訪問看護

介護予防訪問看護では サービス提供開始時からサービス提供期間終了までに少なくとも1回はモニタリングを行い、その結果を記録して指定介護予防支援事業者に報告します。

主な加算 複数名での訪問看護、緊急時訪問看護（24時間緊急対応などの体制について）、特別管理（真皮を越える褥瘡の状態など特別な医療管理）、看護・介護職員連携強化（訪問介護事業所への痰の吸引などの支援）、ターミナルケア（死亡日・死亡日前14日以内2日以上のケアなど）、退院時共同指導（主治医などと共同して行う、入院中の利用者への退院後の療養指導）、専門管理（専門性の高い看護師による訪問看護）、遠隔死亡診断補助（看護師が情報通信機器を用いて医師の死亡診断を補助する）、口腔連携強化などを行った場合。

2 訪問リハビリテーション

理学療法士等が生活期におけるADL、IADLの維持・回復に向けたリハビリテーション、利用者への福祉用具・住宅改修への助言、訪問介護事業所への自立支援に向けた介護技術の指導・助言を行う

- 理学療法士、作業療法士、言語聴覚士がサービスを担当します。
- 提供できるのは、病院・診療所、介護老人保健施設、介護医療院にかぎられます。
- リハビリテーション会議を開催し、利用者や家族、医師や従業者、ほかのサービス担当者などと利用者の状況などの情報を共有します。
- 医師および理学療法士等は、訪問リハビリテーション計画を作成します。また、理学療法士等は、診療記録を作成し、医師に報告します。

介護予防訪問リハビリテーションでは サービス提供開始時からサービス提供期間終了までに少なくとも１回はモニタリングを行い、その結果を記録して指定介護予防支援事業者に報告します。

主な加算 短期集中リハビリテーションを実施した場合、リハビリテーションマネジメントを実施した場合（介護予防訪問リハビリテーションを除く）など。

3 居宅療養管理指導

- サービス内容に応じて、病院・診療所の医師、歯科医師、薬剤師、管理栄養士や薬局の薬剤師、歯科衛生士等が担当します。

Key Point ◆サービス担当者別のサービス内容

医師・歯科医師	利用者の病状や心身の状況を把握し、居宅サービスの利用に関する留意事項や介護方法、療養上必要な事項について利用者や家族に指導や助言を行う。また、居宅介護支援事業者や居宅サービス事業者に居宅サービス計画作成に必要な情報提供・助言を、原則としてサービス担当者会議への参加により行う。参加が困難な場合は原則として文書等の交付による
薬剤師	医師または歯科医師の指示（薬局の薬剤師の場合は医師・歯科医師の指示に基づき策定された薬学的管理指導計画）に基づき薬学的管理や指導を行う。原則としてサービス担当者会議への参加により行う情報提供・助言については、医師・歯科医師と同様
管理栄養士	医師の指示に基づき栄養管理に関する情報提供や助言・指導などを行う
歯科衛生士（保健師、看護師、准看護師を含む）	訪問歯科診療を行った歯科医師の指示および歯科医師の策定した訪問指導計画に基づき、口腔内の清掃や有床義歯の清掃に関する指導を行う

主な加算 特別な薬（疼痛（とうつう）緩和のために使われる麻薬）の投薬が行われている利用者に対して、薬剤師が必要な薬学的管理指導を行った場合など。

4 通所リハビリテーション

個別訓練や集団訓練を行うことで、ADL や IADL の維持・回復、心身機能、コミュニケーション能力、社会関係能力の維持・回復に役立つ

- 病院・診療所、介護老人保健施設、介護医療院のみが提供します。
- 理学療法士・作業療法士・言語聴覚士のほか、看護師・准看護師、介護職員が個別訓練、集団訓練、居宅生活の支援を行います。
- リハビリテーション会議の開催により、関係者で利用者の状況などの情報を共有するよう努めます。
- 医師および理学療法士等は共同して、通所リハビリテーション計画を作成します。

主な加算 入浴介助、リハビリテーションマネジメント、短期集中個別リハビリテーション、重度要介護者へのリハビリテーション（重度療養管理加算）、若年性認知症利用者を受け入れ、個別の担当者を定めてのサービス提供、退院時共同指導、栄養アセスメント、栄養改善、口腔機能改善や口腔・栄養のスクリーニングを行った場合など。

5 短期入所療養介護

疾病に対する医学的管理や介護・看護、リハビリテーションを行うほか、急変時の対応、ターミナルケアにも対応し、介護者の負担軽減、レスパイト・ケアを図る

- 介護老人保健施設、介護医療院、療養病床を有する病院・診療所、一定の基準を満たした診療所がサービスを提供します。
- 利用者としては、喀痰（かくたん）吸引や経管栄養など医療的な対応を必要とする人、リハビリテーションを必要とする人、介護負担軽減に対するニーズをもった人、緊急対応が必要な人などが想定されます。
- 利用期間がおおむね4日以上の利用者に対し、短期入所療養介護計画を作成します（施設に介護支援専門員がいる場合は介護支援専門員が作成する）。

●難病などのある中重度者やがん末期の要介護者を対象に、日帰りで利用できる特定短期入所療養介護も実施しています。

主な加算 医師の食事せんに基づく療養食の提供、緊急短期入所受け入れ（介護支援専門員がその必要性を認めた計画外のサービス受け入れ）、個別リハビリテーションの実施、認知症行動・心理症状緊急対応（認知症の行動・心理症状のある人の緊急受け入れ）、若年性認知症利用者の受け入れ、重度療養管理、総合医学管理、口腔連携強化、生産性向上推進体制など。

6 定期巡回・随時対応型訪問介護看護

24時間365日体制で、介護と看護を提供し、中重度者の在宅生活継続に大きな役割を果たす

● 1つの事業所で訪問介護と訪問看護を一体的に提供する一体型と、訪問看護事業所と連携して提供する連携型のほか、夜間にのみサービスを提供する夜間訪問型があります。

Key Point ◆サービスの内容

定期巡回サービス	訪問介護員等が、定期的に利用者の居宅を巡回して日常生活の世話を行う
随時対応サービス	オペレーターが、利用者からの随時の通報を受け、対応の要否などを判断する
随時訪問サービス	訪問の要否の判断に基づき、訪問介護員等が利用者の居宅を訪問して日常生活の世話を行う
訪問看護サービス	看護師等（保健師、看護師、准看護師、理学療法士等）が、医師の指示に基づき、定期的または随時に利用者の居宅を訪問して療養上の世話または必要な診療の補助を行う

※連携型では、訪問看護サービスについては連携する訪問看護事業所が提供する

- 定期巡回・随時対応型訪問介護看護計画は、保健師、看護師または准看護師が定期的に訪問して行うアセスメントの結果を踏まえて計画作成責任者が作成します。
- 居宅サービス計画が作成されている場合は、その内容に沿ってサービスを提供しますが、サービス提供日時については、居宅サービス計画に位置づけられた日時にかかわらず、計画作成責任者が決定することができます。
- 基本は１か月の定額報酬です。夜間訪問型では、１回ごとの報酬も算定します。
- 区分支給限度基準額の範囲内でほかのサービスとの組み合わせが可能です。通所サービスや短期入所サービスを利用した場合は、その分の報酬を所定単位数から減算します。

7 看護小規模多機能型居宅介護

療養上の管理の下で、通いサービスを中心として、訪問サービス（介護・看護）、宿泊サービスを柔軟に組み合わせてサービスを提供する

- 訪問看護および小規模多機能型居宅介護を一体的に提供することにより、要介護者の居宅において、またはサービスの拠点に通い、もしくは短期間宿泊してもらい、日常生活上の世話および機能訓練、療養上の世話または必要な診療の補助を行います。
- 市町村長の指定を得た法人が、指定看護小規模多機能型居宅介護事業者として、サービスを提供します。
- 2018（平成30）年度から、サテライト事業所が創設されました。
- 看護小規模多機能型居宅介護従業者（看護職員が一定数以上配置される）、介護支援専門員がサービスを提供します。
- 登録定員は29人以下とされ、利用者は１か所の事業所にかぎり利用登録ができます。
- 登録者が通いサービスを利用しない日でも、可能なかぎり訪問サービスや電話連絡による見守りなどを行います。
- 事業所の介護支援専門員が利用登録者の居宅サービス計画と看護小規模

多機能型居宅介護計画を作成します。

- 看護師等（准看護師を除く）は看護小規模多機能型居宅介護報告書を作成します。
- 事業者は看護小規模多機能型居宅介護計画と看護小規模多機能型居宅介護報告書を主治医に提出しなければなりません。
- 介護報酬は、月単位の定額報酬で設定されています。

8 介護老人保健施設

病状が安定期にある要介護者を対象に、施設サービス計画に基づいて、①看護、②医学的管理下における介護、③機能訓練、その他必要な医療、④日常生活上の世話を行う

- 地方公共団体、医療法人、社会福祉法人その他の厚生労働大臣が定めた者が、都道府県知事の開設許可を得て、サービスを提供します。
- 小規模な介護老人保健施設として、サテライト型（本体施設と密接な連携を図りつつ別の場所で運営）、医療機関併設型（介護医療院または病院・診療所併設）、分館型（大都市や過疎地域に設置）があります。
- 明るく家庭的な雰囲気のもとで、高齢者の自立を支援して家庭への復帰を目指し、地域や家庭との結びつきを重視した運営をします。

Key Point ◆介護老人保健施設の５つの役割

①包括的ケアサービス施設（医療と福祉のサービスの統合）
②リハビリテーション施設（集中的な生活期リハビリテーションの実施）
③在宅復帰（通過）施設（早期の在宅復帰を目指す）
④在宅生活支援施設（在宅での生活継続を支援する）
⑤地域に根ざした施設（家庭介護者や地域のボランティアなどがケア技術を習得）

主な加算 試行的退所時の療養上の指導、退所後の主治医への情報提供、退所前の指定居宅介護支援事業者などとの連携、在宅復帰への取り組みについての各種の加算、短期集中リハビリテーションなどリハビリテーションを評価する各種の加算、栄養マネジメント強化、経口移行や経口維持のための取り組み、口腔衛生管理、特別療養費（日常的に必要な特定の医療行為）、ターミナルケア、協力医療機関連携、認知症チームケア推進、高齢者施設等感染対策向上、生産性向上推進体制を評価する加算など。

9 介護医療院

介護保険制度改正で2018年度に創設された介護保険施設。慢性期の医療・介護ニーズに対応し、長期療養のための医療と日常生活上の世話（介護）を一体的に提供する

- 病状が安定しており、主に長期にわたる療養が必要な要介護者が対象です。
- ほかの介護保険施設と同様、ユニット型も設定されます。
- 単独で運営されるほか、医療機関併設型介護医療院（病院や診療所に併設するもの）や併設型小規模介護医療院（医療機関併設型のうち入所定員が19人以下のもの）があり、人員基準が緩和（宿直の医師を兼任できるなど）され、設備の共有が可能となっています。
- 施設サービス計画に基づいて、①療養上の管理、②看護、③医学的管理のもとにおける介護、④機能訓練、その他必要な医療、⑤日常生活上の世話を行います。

Key Point ◆介護医療院の特徴

○医療機能（ターミナルケアや看取りにも対応）、生活施設としての機能を備えている

○Ⅰ型…介護療養病床（療養機能強化型A・B）相当のサービスを提供。
対象は、重篤な身体疾患を有する者および身体合併症を有する認知症高齢者等

○Ⅱ型…介護老人保健施設相当以上のサービスを提供。
対象は、Ⅰ型と比べ、容態が安定した者

●施設の類型や療養床の形態などに応じて、要介護度別に、1日につき基本報酬を算定します。

主な加算 その他、介護老人保健施設と同様の加算（栄養マネジメント強化加算、再入所時栄養連携加算など）など。

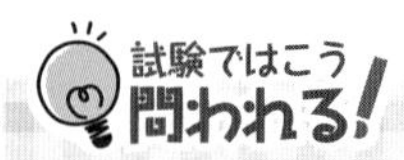

介護老人保健施設について正しいものはどれか。3つ選べ。

~~1~~ 入所者は、病状が安定し入院治療の必要がない要介護3以上の認定を受けた者である。

入所の要件に要介護度はない

② 保健医療サービス又は福祉サービスを提供する者との密接な連携に努めなければならない。

③ 口腔衛生の管理体制を整備し、各入所者の状態に応じた口腔衛生の管理を計画的に行わなければならない。

④ 理学療法士、作業療法士又は言語聴覚士を置かなければならない。

~~5~~ 看取り等を行う際のターミナルケア加算は、算定できない。

算定できる

〈R5－44〉 正答　2 3 4

福祉サービス分野 〈ソーシャルワーク〉

1 相談援助

クライエントや家族の意思をくみ取り、面接を円滑に進めるためのコミュニケーションの技術。なかでも「傾聴」について多く出題されます。また、専門職としての立ち位置を意識して、受容、支援の方向性などについての理解を深めましょう。

1 相談援助での基本姿勢と実践原則

バイステックの7原則が基本となる

- 面接において、クライエントの基本的人権の尊重を心がけましょう。
- 相談援助では、クライエントの自信回復、自立への意欲喚起が重要なポイントです。すべてを引き受けるような姿勢は好ましくありません。

Key Point ◆バイステックの7原則

①個別化　②自己決定　③受容　④非審判的態度
⑤秘密保持　⑥統制された情緒的関与　⑦意図的な感情表現

2 コミュニケーションの基本技術

傾聴を行ううえで、予備的共感、観察、波長合わせが重要である

- 予備的共感（準備的共感）では、事前に得た情報から予測し、共感的な姿勢を準備します。
- クライエントや家族の反応を観察します。
- クライエントの意思や感情を確認しながら自らの理解や態度を修正し、相互理解を深めます（波長合わせ）。
- 面接では、専門用語は避けて日常的な言葉で話します。また、クライエントの非言語的コミュニケーション（表情、しぐさ、視線、声の調子、服装、家族への対応など）にも気を配ります。

3 相談面接の過程

相談面接を通し、援助者はクライエントと信頼関係を築く。相互の情報を交換し、適切な援助計画を作成・実行するための共同作業を行う

◆相談面接の過程

開始	援助者は、相手の思いや立場に立って接する
アセスメント	情報を収集し、問題点を明らかにする
契約	相互の役割や分担課題を明確にし、同意を得る
援助計画	アセスメントや事前評価を基礎として作成する
実行・調整・介入	さまざまな介入技法を用いてクライエントや環境の変化を導く
援助活動の見直し・過程評価	クライエントや環境の変化などに伴い、見直しをしていく
終結	今後の見通しを含めてクライエントに説明する
フォローアップ・事後評価・予後	援助者の自己評価や客観的評価を含めた、フォローアップ・事後評価について、クライエントや援助関係者にフィードバックし、予後を把握する

- 援助者は、面接の開始段階で、重要事項の把握だけに偏らないようにします。クライエントとの親近感や信頼感の醸成についても気を配ります。
- クライエントが相談に来て最初に行うインテーク面接（受理面接）は、

1回とはかぎりません。必要に応じて、複数回行われることもあります。

- インテーク面接は、次の①～⑥のように行われます。この流れの中で、援助者はクライエントの全般的な状況把握をしていきます。すでにアセスメントが始まっているといえます。
  ① 導入と場面設定
  ② 主訴の聴取と必要な情報交換
  ③ 課題の確認と援助目標の仮設定
  ④ 援助計画、援助方法の確認
  ⑤ クライエントの合意と契約
  ⑥ 終結
- 予後の把握については、クライエントの実際の状況をさまざまな観点からつかみ、ケアの継続性を重視して、新しい援助過程の検討や計画化を行います。

4 支援困難事例におけるアプローチ

クライエント本人や家族がニーズを自覚していないなどの支援困難事例では、専門職としてのアプローチのしかたや他職種間の連携がカギとなる

- 支援困難事例の発生には、3つの要因が複合的に関与しています。
  ①個人的要因
  ②社会的要因
  ③不適切な対応

- 支援困難事例への働きかけで重要なのは、「価値」に基づいた援助を実践することです。
- 支援の中心となる概念は、「取り組みの主体をクライエント本人におく」というものです。

面接場面におけるコミュニケーション技術について、より適切なものはどれか。3つ選べ。

1 面接を行う部屋の雰囲気や相談援助者の服装などの外的条件は、円滑なコミュニケーションのために重要である。

2 相談援助者とクライエントの双方が事態を明確にしていくことが必要である。

~~3~~ クライエントが長く沈黙している場合には、話し始めるまで待たなければならない。

内面や思いを洞察し代わりに言葉にしていくことも大切

4 面接の焦点を的確に定めることは、面接を効果的に実施する上で重要である。

~~5~~ 傾聴とは、クライエントの支援計画を立てることである。

話す内容や思いを積極的に聴く態度とありよう

〈R5－46〉 正答 1 2 4

2 ソーシャルワーク

ソーシャルワークの基本となる、ミクロ・レベル（個人、家族）、メゾ・レベル（グループ、地域住民など）、マクロ・レベル（地域社会、国家、制度・政策など）の概要をつかんでおきましょう。特に地域での支援内容やグループを活用する支援については多く問われています。

1 ミクロ・レベル（個人、家族）のソーシャルワーク（個別援助）

- ソーシャルワーカーに求められるのは、受容的・非審判的態度、秘密保持、人権尊重、援助計画作成能力などです。
- 主な手段は面接です。

2 メゾ・レベル（グループ、地域住民、身近な組織）のソーシャルワーク（集団援助）

◆メゾ・レベルのソーシャルワークの活用例

自立期にある高齢者	老人クラブや介護予防活動の現場などで、共通の趣味や生きがい活動を通して、人間関係や生活を豊かにするための支援を行う

	プログラムでは、参加メンバーのリーダーシップや主体性を最大限重視した支援を行う
心理的なニーズの高い高齢者	グループの力動を活用して行う治療的なアプローチや、メンバー間の相互支援機能をもつセルフヘルプ・グループを活用する
身体的な自立度が低い高齢者	通所介護などで、運動や活動を通して心身機能の低下を防ぐリハビリテーションを重視したアプローチを行う

- 集団援助では、メンバー同士の関係を対象あるいは媒介として援助を行います。

3 マクロ・レベル（地域社会、組織、国家、制度・政策、社会規範、地球環境）のソーシャルワーク（地域援助）

- 地域社会、制度・政策などに働きかけ、それらの社会変革を通して、個人や集団のニーズの充足を目指します。
- 地域援助を行うのは、社会福祉協議会、NPO、NGO、市町村の福祉担当職員、地域包括支援センターの職員、市民団体のボランティアなどです。
- 社会的企業や社会福祉法人などの組織で行う、社会福祉運営管理もマクロ・レベルのソーシャルワークに含まれます。

◆地域援助の主な機能

サービス供給面への働きかけ	地域社会全体への働きかけ
①地域の情報の流れを促進し、提供者側の情報公開と地域の実態をサービス機関に正確に届ける ②求められている福祉サービスの開発、または現行のサービスの充実と改善をする ③特定の利用者集団に対する新しいサービス、資源、施設、設備などを開発する ④サービスの利用者集団のための権利擁護、弁護、代弁、支援活動を展開する ⑤よりよい福祉サービスの制度化に向けての情報収集、広報、啓発活動を行う	①情報センターの設置など、地域住民が福祉サービスをよく知ることができるための手段をつくり、充実・改善させる ②ボランティアの募集など福祉サービスへの参加を促す ③サービスの改善事業や計画へ住民集団からの代表者参加を促し、十分な情報提供をする ④支援集団の結成や新たな財源開発など地域社会としての新たな資源を開発する

	⑤異なる領域の諸集団、年代の異なる集団、文化の相違を超えた交流を促進する ⑥法律の実施状況をチェックし、正確な情報提供を行う

4 ジェネラリスト・ソーシャルワーク

- ソーシャルワークでは、人と環境を相互に作用し合う一体的なシステムとしてとらえ、その相互作用し合う接点に働きかけます。
- ミクロ・メゾ・マクロの各領域を相互に関連し合うサブシステムとして課題全体の関連性を把握し、統合的に展開する実践をジェネラリスト・ソーシャルワークと呼びます。

試験ではこう問われる!

ソーシャルワークにおける地域援助として、より適切なものはどれか。3つ選べ。

1 地域の問題や多様な社会資源について評価するために、地域アセスメントを行う。
2 病院の専門職で構成されたメンバーで退院促進のためのチームアプローチを行う。
3 地域におけるニーズ把握では、潜在的ニーズを掘り起こすアウトリーチを行う。
4 行政機関等のフォーマルな社会資源による地域ネットワークを構築すれば、地域課題は解決する。
5 障害者が福祉サービスにアクセスしやすくなるよう自治体に働きかける。

個人に対するもので個別援助にあたる

フォーマルサービスだけでなく地域住民の参加が重要

〈R1－49〉 正答 1 3 5

福祉サービス分野 3

〈各論〉

福祉サービス

出題割合が多く、サービスの種類も多いため、各サービスの内容や考え方などについて、しっかりと理解しておきましょう。訪問介護では、介護保険制度のサービス範囲で行える援助・行えない援助の区別がよく出題されます。

1 訪問介護

日常生活を営むうえで何らかの介助が必要なすべての要介護者が対象で、予防的対処を視野に入れて自立を支援していくサービスである

- サービスを提供する際には、訪問介護計画を作成し、利用者または家族に説明し、同意を得たうえで、書面を交付します。
- サービス内容は、身体介護と生活援助に大別されます。
- 生活援助を利用できるのは、要介護者が一人暮らしか、同居家族に障害や疾病がある場合、または同様のやむを得ない事情がある場合のみです。
- 介護職員は、原則として医行為（医療行為）を行うことができません。厚生労働省は、通知（令和４年12月１日「医師法第17条、歯科医師法第17条及び保健師助産師看護師法第31条の解釈について（その２）」）で医行為ではないと考えられる行為を示しています。

◆身体介護と生活援助のサービスの区分け

身体介護	生活援助
○食事、排泄、入浴の介助 ○嚥下困難者のための流動食、糖尿病食など特段の専門的配慮をもって行う調理 ○身体の清拭・洗髪・整容 ○更衣の介助　○体位変換 ○移乗・移動介助　○通院・外出の介助 ○就寝・起床介助　○服薬介助 ○自立生活支援・重度化防止のための見守り的援助	○掃除、ごみ出し、片づけ ○衣類の洗濯・補修 ○一般的な調理・配下膳 ○ベッドメイク ○買い物 ○薬の受け取り

Key Point ◆生活援助に含まれない行為

○直接本人の援助に該当しないもの
利用者以外への洗濯、調理、買い物、布団干し、利用者が使用しない居室の掃除、来客の応接など

○日常生活の援助に該当しないもの
草むしり、ペットの世話、日常の家事の範囲外の模様替え、大掃除など

2 訪問入浴介護

医療器具をつけている人、感染症のある人、ターミナル期にも対応し、清潔の保持のほか、疾病の予防、精神的な安定を与える効果がある

- 病状が急変したときに備え、協力医療機関を定めておく必要があります。
- 清潔保持に留意し、浴槽は利用者１人ごとに消毒します。
- サービス担当者に看護職員を含むことが原則ですが、主治医の意見を確認したうえで、介護職員のみで行うことができます。

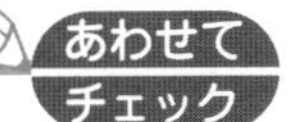

訪問入浴介護と介護予防訪問入浴介護との違い（人員基準）

- **訪問入浴介護**　看護職員１人以上　介護職員２人以上
- **介護予防訪問入浴介護**　看護職員１人以上　介護職員１人以上

3 通所介護

昼間に行われる在宅でのサービス。訪問介護などほかのサービスと組み合わせ、総合的な利用を念頭において計画を作成する

- 家族の介護負担軽減のほかに、他者との交流の機会をつくって利用者の社会的孤立感を解消するといった点にも大きな目標がおかれています。本人の意向を確認し、時間延長や休日利用も視野に入れて検討します。
- 通所リハビリテーション（➡P.157）との違いは、社会生活を送るうえでの支援に、重点がおかれていることです。

4 短期入所生活介護

在宅の要介護者に老人短期入所施設や特別養護老人ホームなどに短期間入所してもらい、日常生活上の世話や機能訓練を提供する

- 利用要件は以下の通りです。
  ①要介護者の心身状態の虚弱化または悪化などで、在宅生活が困難となった場合
  ②家族の疾病、冠婚葬祭、出張などのため
  ③家族の身体的・精神的な負担軽減のため
- 相当期間以上（おおむね４日以上）利用する場合は事業所の管理者が短期入所生活介護計画を作成して、利用者または家族に説明し利用者の同意を得て交付します。
- 連続利用の上限は30日です。利用日数が認定有効期間のおおむね半数を超えないこととなっています。

5 特定施設入居者生活介護

有料老人ホームや軽費老人ホームなど特定施設の入居者が受けることができる、より快適で自立した生活を送るためのサービス

- サービスを提供できるのは、指定特定施設入居者生活介護事業者として

都道府県知事の指定を受けた特定施設（有料老人ホーム、軽費老人ホーム、養護老人ホーム）です。

- 特定施設入居者生活介護では、計画作成担当者である介護支援専門員が特定施設サービス計画を作成して利用者または家族に説明し、文書による同意を得て利用者に交付します。
- このサービスを利用している間は、居宅介護支援は保険給付されません。
- 生活相談や特定施設サービス計画の策定、安否確認といった基本サービスは特定施設から受け、介護サービスは特定施設が契約した外部のサービス事業者から受ける外部サービス利用型があります。
- 養護老人ホームでは、2015（平成27）年度から、外部サービス利用型に加えて、一般型の特定施設入居者生活介護も実施できるようになっています。

6 福祉用具・住宅改修

福祉用具は、貸与が原則だが、「貸与になじまない」ものについては、特定福祉用具として購入の対象となっている

- 福祉用具専門相談員が、福祉用具に関する相談を受け、目録などの文書によって福祉用具についての情報提供を行います。また、福祉用具の点検、使用方法の指導、必要な場合は修理などを行います。
- 福祉用具貸与事業所・特定福祉用具販売事業所の人員基準は、いずれも福祉用具専門相談員が常勤換算で２人以上です。
- 福祉用具専門相談員は、福祉用具貸与計画または特定福祉用具販売計画を作成し、利用者または家族に説明のうえ、同意を得て交付しなければなりません。福祉用具貸与事業者では、介護支援専門員にも交付します。
- 2024（令和６）年４月より、固定用スロープ、歩行器（歩行車を除く）、単点杖（松葉づえを除く）・多点杖について貸与と販売のいずれかを選択することが可能となりました。
- 福祉用具専門相談員は、選択制について利用者等への十分な説明と、多職種の意見や利用者の身体状況等を踏まえた提案などを行います。
- 福祉用具貸与では、選択制の対象福祉用具についてサービス提供開始から6か月以内に少なくとも1回モニタリングを行い、継続の必要性を検討します。モニタリング結果は記録し、指定居宅介護支援事業者に報告します。

- 特定福祉用具販売では、選択制の対象福祉用具について使用状況の確認とともに、必要に応じて使用方法の指導、修理などを行うよう努めます。また、計画の目標の達成状況について評価を行います。

◆支給額と事業者

福祉用具貸与	費用の9割または8割（または7割）／現物給付	指定福祉用具貸与事業者（都道府県知事の指定） 基準該当福祉用具貸与事業者（市町村が認める）
特定福祉用具販売	費用の9割または8割（または7割）／償還払い 同一年度10万円、同一種目原則1回まで	指定特定福祉用具販売事業者
住宅改修	費用の9割または8割（または7割）／償還払い 居住する住宅について20万円（転居した場合は再度支給が受けられる）※	指定事業者は定められていない ※介護の必要の程度が著しく高くなった場合（要介護状態区分を基準とした段階が3段階以上）には1回にかぎり再支給

Key Point ◆福祉用具と住宅改修の種類

貸与	車いす・車いす付属品（車いすと一体的に使用されるもの）、特殊寝台・特殊寝台付属品、床ずれ防止用具、体位変換器、手すり、スロープ、歩行器、歩行補助杖、認知症老人徘徊感知機器、移動用リフト（つり具部分は除く）、自動排泄処理装置（交換可能部品以外）
販売	腰掛便座、自動排泄処理装置の交換可能部品、排泄予測支援機器、入浴補助用具、簡易浴槽、移動用リフトのつり具の部分、スロープ、歩行器、歩行補助杖
改修	手すりの取りつけ、段差の解消、床・通路面の材料変更、引き戸などへの扉の取り替え、洋式便器などへの取り替え

※福祉用具貸与では、原則として、軽度者（要支援者と要介護1の人、自動排泄処理装置は要支援者と要介護1～3の人）には給付されない種目がある

7 地域密着型サービス

夜間対応や訪問、通所、宿泊など、さまざまな方法で地域における高齢者の生活を援助する

(1) 夜間対応型訪問介護の内容と方針

内容 夜間（最低限22時から翌朝6時までの間を含み各事業所で設定）に、定期巡回サービス、オペレーションセンターサービス、随時訪問サービスを一括して行います。

方針 オペレーションセンター従業者が居宅サービス計画の内容に沿って夜間対応型訪問介護計画を作成します。随時訪問サービスを適切に行うため、オペレーションセンター従業者は、利用者の面接と居宅への訪問（1～3か月に1回程度）を行います。

(2) 地域密着型通所介護の内容と方針

内容 事業所の利用定員が18人以下の小規模な事業所で実施される通所介護です。法改正により、2016（平成28）年度から実施されています。それまで通所介護の一類型だった療養通所介護も、地域密着型通所介護に位置づけられました。

方針 地域との連携や運営の透明性を確保するため、運営推進会議の設置などの規定が設けられています。

(3) 認知症対応型通所介護の内容と方針

内容 認知症の特性に配慮しながら、進行の緩和のための目標を設定し、計画的にサービスを提供します。

方針 事業所の管理者が居宅サービス計画の内容に沿って認知症対応型通所介護計画を作成します。利用者の人格を尊重し、それぞれが役割をもって日常生活を送れるように配慮します。

(4) 小規模多機能型居宅介護の内容と方針

内容 利用者の心身の状況や希望、環境を踏まえ、通い・訪問・宿泊サービスを組み合わせてサービスを提供します。

方針 事業所の介護支援専門員が利用登録者の居宅サービス計画を作成し、ほかのサービス利用も含めた給付管理を行います。さらに小規模多機能型居宅介護計画を作成し、これに沿ってサービスを提供していきます。

(5) 認知症対応型共同生活介護の内容と方針

内容 認知症のある要介護者に、共同生活住居において日常生活上の世話や機能訓練を行います。

方針 計画作成担当者が認知症対応型共同生活介護計画を作成し、これに沿ってサービスを提供します。同時に居宅介護支援事業者による居宅介護支援は行われません。計画作成にあたっては、多様な活動（通所介護の活用、地域活動への参加、レクリエーションや行事など）が確保できるように努めます。

8 介護老人福祉施設

老人福祉法に規定された入所定員30人以上の特別養護老人ホーム。都道府県知事の指定を受けて、サービスの提供を行う

- 新規入所では、原則として、要介護3以上の人が対象です（2015〔平成27〕年度から）。
- 介護老人福祉施設の目的は、在宅介護が困難な要介護者の日常生活の援助、機能訓練などの介護サービスを提供し、生活の安定と心身の状態の維持・改善を図ることです。
- 施設サービス計画に基づいてサービスを提供します。居宅介護支援事業者、居宅サービス事業者などと連携することを前提として在宅復帰の支援計画を作成し、在宅復帰を支援することも重要な役割です。
- 運営基準で明記されている、計画担当介護支援専門員の責務は次の通りです。

①施設サービス計画の作成についての業務
②入所の際の居宅介護支援事業者への照会などによる心身の状況などの把握
③居宅において日常生活を営むことができるかどうかについての定期的な検討
④円滑な退所のための必要な援助
⑤退所の際の居宅介護支援事業者への情報の提供、保健医療・福祉サービス担当者との連携
⑥身体拘束などについての記録（計画担当介護支援専門員の責務としては介護老人福祉施設のみ）
⑦苦情の内容の記録
⑧事故の状況、事故の処置の記録

試験ではこう**問われる！**

介護保険における短期入所生活介護について正しいものはどれか。2つ選べ。

✕1　家族の冠婚葬祭や出張を理由とした利用はできない。
→ 家族の疾病、冠婚葬祭、出張などを理由とした利用も可能

✕2　災害等のやむを得ない事情がある場合でも、利用定員を超えることは認められない。
→ やむを得ない事情（災害や虐待など）がある場合にかぎり認められる

③　短期入所生活介護計画の作成は、既に居宅サービス計画が作成されている場合には、当該計画の内容に沿って作成されなければならない。

④　一の居室の定員は、４人以下でなければならない。

✕5　居宅サービス計画上、区分支給限度基準額の範囲内であれば、利用できる日数に制限はない。
→ 連続30日を上限とする

〈R4－53〉　正答　３４

〈社会資源他制度〉

4 社会資源の活用

ケアマネジメントに欠かせないのは、フォーマルサービスとインフォーマルサポートの2つの分野の社会資源を組み合わせることです。各分野の特徴や、利用できる社会資源にはどのようなものがあるかなどが多く問われています。

1 社会資源の分類

◆社会資源の分類

	フォーマルサービス	インフォーマルサポート
	行政、社会福祉法人、医療法人、企業、民間非営利法人（NPO）	家族、親戚、友人、ボランティア、近隣など
長所	最低限の生活が保障される 専門性が高い	柔軟な対応が可能
短所	サービスが画一的になりやすい	専門性が低い 安定した供給が難しい

2 介護保険制度以外の社会資源

● 介護支援専門員が活用するフォーマルサービスには次のようなものがあります。

①所得保障サービス（年金や生活保護制度など）
②医療保険サービス（急性期の医療サービスや介護保険の例外規定による訪問看護サービス）
③市町村が実施している保健福祉サービスなど（配食サービス、移送サービス、訪問指導など）
④利用者の人権や公正を守るサービス（成年後見制度、日常生活自立支援事業）
⑤市町村が実施している住宅にかかわるサービス（公営住宅、住宅改修サービスなど）
⑥市町村が実施している安全を守るサービス（緊急通報システムなど）

- 社会資源以外に、要介護者の内的資源も活用します（要介護者自身の能力、資産、意欲など）。

Key Point ◆関連諸制度①

○後期高齢者医療制度

医療制度改革に伴い、2008（平成 20）年度に創設された。

運営主体…後期高齢者医療広域連合

被保険者…① 75 歳以上の者、② 65 歳以上 75 歳未満で後期高齢者医療広域連合の障害認定を受けた者（生活保護世帯に属する場合などは適用除外）

利用者負担…サービス費用の 1 割、一定以上所得者は 2 割、現役並み所得者は 3 割

給付内容…医療保険制度とほぼ同様

○「個人情報の保護に関する法律」（個人情報保護法）

個人情報の定義…生存する個人の情報であって、氏名や生年月日などにより特定の個人を識別することができるものまたは個人識別符号が含まれるもの

個人情報取扱事業者の定義…個人情報データベースなどを業務で用いている者（取り扱う個人情報の件数等にはかかわらない）

Key Point ◆関連諸制度②

○「高齢者の居住の安定確保に関する法律」（高齢者住まい法）

高齢者住宅の登録制度を設け、良好な居住環境を備えた賃貸住宅の供給を促進する措置を講じている。この法律に基づいて、サービス付き高齢者向け住宅が制度化された。

【主な登録基準】

入居対象…①単身高齢者または高齢者とその同居者（高齢者：60歳以上、または要介護・要支援認定を受けている者）

設備………各居室床面積 25m² 以上（原則）、バリアフリー構造、各居室に水洗便所や洗面設備などを備えている

サービス…少なくとも①状況把握（安否確認）サービス、②生活相談サービスを提供

契約内容…書面による契約、権利金その他の金銭を受領しないこと（敷金、家賃等、家賃等の前払金を除く）、前払金の保全措置を講じることなど

○「育児休業、介護休業等育児又は家族介護を行う労働者の福祉に関する法律」（育児・介護休業法）

育児や介護を行う者が仕事と家庭を両立できるように制定された。

育児休業…原則として１歳に満たない子を養育するための休業。原則として子が１歳に達する日までの連続した期間取得できる（最長２歳まで延長可能）

2021（令和３）年の法改正により、従来の育児休業とは別に、出生後８週間以内４週間までの育児休業取得（産後パパ育休）や２回までの分割取得が可能となった

介護休業…要介護状態にある対象家族を介護するための休業

対象となる家族の範囲	配偶者、父母、子、配偶者の父母、祖父母、兄弟姉妹および孫
介護休業期間	対象家族１人につき通算 93 日まで、３回を上限として分割取得可
介護休業給付金	雇用保険から休業開始時の賃金の 67%の水準で給付

※2024（令和６）年の法改正では、男女ともに仕事と育児・介護を両立できるよう、子の年齢に応じた柔軟な働き方実現のための措置の拡充や、介護離職防止のための仕事と介護の両立支援制度の強化などの措置が講じられた。具体的には、３歳未満の子を養育する労働者や家族を介護する労働者が選択できる働き方にテレワークを追加する（事業主の努力義務）など。

3 地域包括ケアシステムと社会資源の調整

- 利用者のニーズに合わせて、フォーマルな社会資源とインフォーマルな社会資源を組み合わせるのは介護支援専門員の役割です。
- 介護支援専門員には、利用者が地域とのつながりを維持できるような援助の視点が求められます。
- 地域の社会資源を把握し、ネットワークを築くことが、サービスの選択肢を拡げるとともに、ケアプランの円滑な実行につながります。

試験ではこう問われる！

社会資源について、より適切なものはどれか。3つ選べ。

①　一般的に、インフォーマルなサポートは柔軟な対応が可能だが、安定した供給が困難な場合もある。

~~2~~　インフォーマルな社会資源には、明確には制度化されていない当事者組織や相互扶助団体は含まない。
→ 含まれる

~~3~~　介護支援専門員には、雪落としやごみ回収などのサービスの活用は求められていないが、配食サービスや移送サービスの活用は求められている。
→ 在宅生活の支援にかかわるサービスは求められている

④　介護支援専門員には、フォーマルサービスとインフォーマルサービスの連携を図ることも求められている。

⑤　介護支援専門員には、要介護者等自身の能力・資産・意欲といった内的資源を活用することも求められている。

〈H24－57〉　正答　１４５

福祉サービス分野 〈社会資源他制度〉

5 成年後見制度

成年後見制度には、法定後見制度と任意後見制度があります。法定後見制度は3類型それぞれの権限について、任意後見制度は手続きとどの段階で任意後見が開始するかについて多く問われます。

1 成年後見制度とは

成年後見制度とは、認知症などにより判断能力が不十分なために意思決定が困難な人を支援し、権利を守る制度

- 成年後見人等が行う職務には、身上監護（生活や介護に関する各種契約、手続きなどを本人に代わって行う）と財産管理（預貯金や不動産などの財産を本人に代わって管理する）の2つがあります。
- 成年後見制度は、法定後見制度と任意後見制度にわかれます。

2 法定後見制度

- 法定後見制度は、本人、配偶者、四親等内の親族などによる後見開始等の審判の請求（申し立て）に基づき、家庭裁判所が成年後見人等を職権で選任する制度です。

- 市町村長も65歳以上の者、知的障害者、精神障害者について、その福祉を図るため特に必要があると認めるときは後見開始等の審判を請求することができます。

分類	対象者	内容
後見類型	判断能力を常に欠いた状態の人	成年後見人は、財産に関する法律行為について包括的な代理権と、日常生活に関する行為以外についての取消権をもつ。ただし、本人の居住用不動産を処分する場合は家庭裁判所の許可が必要
保佐類型	判断能力が著しく不十分な人	保佐人は、重要な一定の行為について同意権と取消権をもつ。本人同意のもと家庭裁判所の審判を経て代理権が与えられる
補助類型	判断能力が不十分な人	補助人は、本人同意のもと家庭裁判所の審判を経て同意権・取消権と代理権が与えられる

代理権・取消権・同意権

代理権…本人に代わってさまざまなことを行う権利
取消権…本人が自ら行った契約でも、本人にとって不利益な場合には、取り消すことができる権利
同意権…本人が行おうとしている行為について同意を与える権利

3 任意後見制度

- 本人が、判断能力が衰える前に任意後見人を指定し、後見事務の内容を契約により決めておく制度です。
- 任意後見は、本人の判断能力が不十分になったときに、申し立てによって家庭裁判所が任意後見監督人を選任することによって開始されます。

公証人役場

②公証人が法務局へ後見登記を申請

法務局

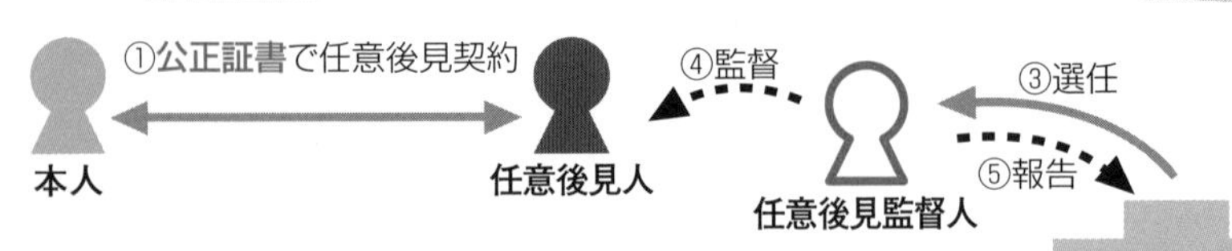

家庭裁判所

③　本人の判断能力が不十分になったとき、申し立てによって家庭裁判所が任意後見監督人を選任し、任意後見を開始

④⑤　任意後見人に不正などがあった場合には、任意後見監督人の報告により、家庭裁判所が任意後見人を解任することができる

試験ではこう問われる！

成年後見制度について正しいものはどれか。3つ選べ。

1　本人以外の者の請求により補助開始の審判をするには、本人の同意が必要である。

2　後見開始の申立は、本人の所在地を管轄する地方裁判所に行う。

家庭裁判所

3　市町村は、当該市町村における成年後見制度の利用の促進に関する施策についての基本的な計画を定めるよう努めることとされている。

4　後見開始の審判は、事実上婚姻関係と同様の事情にある者も請求することができる。

本人、配偶者、四親等内の親族などに限定される

5　任意後見人の配偶者、直系血族及び兄弟姉妹は、任意後見監督人となることができない。

〈R2－59〉　正答　1 3 5

〈社会資源他制度〉

日常生活自立支援事業

日常生活自立支援事業のしくみや対象者、利用要件、支援の内容について多く問われています。また、具体的な援助内容についてもおさえておきましょう。

1 実施体制と利用の流れ

日常生活自立支援事業は、都道府県・指定都市社会福祉協議会が実施主体となり、判断能力は不十分だが、事業の契約内容について判断し得る能力がある利用者と契約を結んで行う

- 基幹的社会福祉協議会などに相談（申請）した利用希望者が利用要件に該当した場合、専門員が関係機関と調整を行って支援計画を作成、利用契約を締結します。
- 支援計画に基づいて生活支援員が援助を行い、その内容は定期的に評価と見直しがされます。

◆日常生活自立支援事業の基本的なしくみ

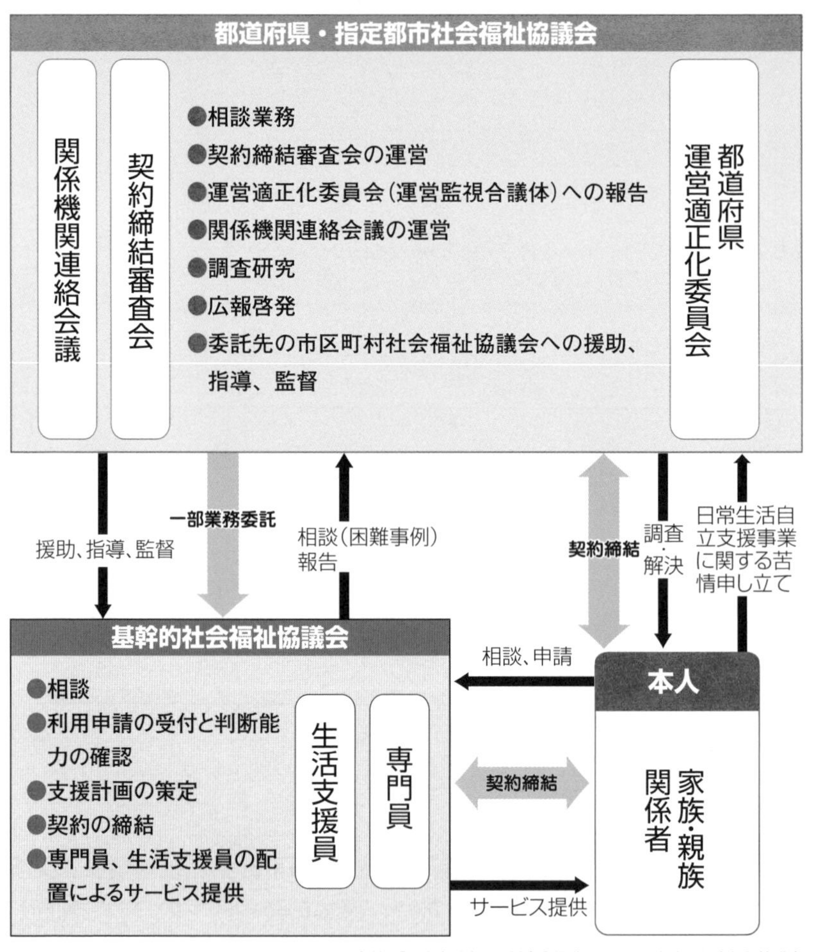

資料：「日常生活自立支援事業推進マニュアル」全国社会福祉協議会

2 支援内容

●基本的には、福祉サービスの利用援助、日常的金銭管理サービス、書類などの預かりサービスが行われます。

あわせてチェック 介護保険の利用に関する具体的援助内容

①要介護認定等の申請手続きの援助
②居宅介護支援事業者の選択
③認定調査で本人の状況を正しく伝える
④介護支援専門員が居宅サービス計画等を作成する場合の一連の手続きやアセスメントに立ち会って正しく状況を伝える
⑤サービス事業者との契約に関する援助
⑥サービス利用料の支払いやサービス内容確認の援助
⑦苦情解決制度利用手続きの援助　など

試験ではこう問われる！

日常生活自立支援事業について正しいものはどれか。2つ選べ。

①　各都道府県・指定都市社会福祉協議会が実施主体となり、第2種社会福祉事業として規定されている福祉サービス利用援助事業である。

~~2~~　成年後見制度を利用している者は、日常生活自立支援事業を利用することができない。 → 成年後見人等が代理して契約できる

~~3~~　市町村に設置された運営適正化委員会が、事業全体の運営監視と利用者からの苦情解決に当たる。 → 設置されるのは都道府県社会福祉協議会

④　専門員は、初期の相談から支援計画の作成、利用契約の締結に関する業務を行う。

~~5~~　支援内容には、介護保険サービスの内容確認の援助や苦情解決制度の利用手続き援助は含まれない。 → 福祉サービスの利用援助に該当するため、含まれる

〈H25－60〉　正答　１４

〈社会資源他制度〉

7 生活保護制度／生活困窮者自立支援法

生活に困窮している人に最低限度の生活を保障する生活保護制度。介護扶助の範囲と内容、制度利用にあたっての手続きや申請と給付方法について問われています。生活困窮者自立支援法は、生活保護に至る前の自立支援を目的としています。

1 生活保護の基本原理

- ほかの法律の扶助などが生活保護法による保護に優先する（他法優先の原則）ため、ほかで賄われない部分が生活保護の対象です。
- 補足性の原理により、資産や働く能力などを活用してもなお最低限度の生活が維持できない場合に行われます。
- 国家責任の原理により、生活に困窮する国民の最低生活の保障を、国がその責任において行います。
- 無差別平等の原理により、生活困窮者の信条や性別、社会的身分、また生活困窮に陥った原因にかかわりなく、経済的状態にのみ着目して保護を行います。
- 最低生活保障の原理により、最低限度の生活とは、健康で文化的な生活水準を維持できるものでなければなりません。

2 生活保護の８つの扶助

- 生活保護では８種類の扶助が実施されています。

◆生活保護の扶助

生活扶助	食費、光熱費など日常生活の需要を満たすための費用
教育扶助	義務教育の就学に必要な費用
住宅扶助	住宅の確保や補修に必要な費用
医療扶助	入院または通院による治療費。生活保護法で指定された指定医療機関に委託して行われる
出産扶助	出産に要する費用
生業扶助	生業費、技能修得費、就労のために必要な費用、高校就学に必要な費用
葬祭扶助	火葬、納骨など葬祭のために必要な費用
介護扶助	介護保険法に規定する要介護者等を対象とする扶助

Key Point ◆日常生活費・食費の取り扱い

○介護保険施設での日常生活費は、介護施設入所者基本生活費として、生活扶助から給付が行われる

○介護保険施設（施設サービス）での食費は、介護扶助から給付される。介護保険の被保険者では負担限度額までが介護扶助で賄われ、超えた分については介護保険の特定入所者介護サービス費の対象となる

○短期入所サービス（負担限度額まで）、通所サービスでの食費は、自己負担となり、生活扶助として給付されている中から支払う

3 介護扶助の対象者と範囲、給付

- 対象となるのは、要介護または要支援の状態にある介護保険の被保険者、特定疾病により要介護または要支援の状態にあるが、医療保険に未加入のため被保険者になれない40歳以上65歳未満の人です。
- 移送以外は介護保険と同様のサービスです。
- 介護保険の被保険者は、保護申請書と居宅介護支援計画書または介護予防支援計画書の写しを福祉事務所に提出し申請を行います。
- 住宅改修や福祉用具など現物給付が難しい場合は金銭給付が行われます。

4 生活困窮者自立支援法

生活保護受給者の増加を踏まえ、生活困窮者に対する自立支援策の強化を目的とした制度

- 実施主体は、都道府県、市および福祉事務所を設置する町村です。
- 自立相談支援事業（必須）、住居確保給付金の支給（必須）、就労準備支援事業（努力義務）、家計改善支援事業（努力義務）、一時生活支援事業（任意）などがあります。

※一時生活支援事業は、2025（令和7）年4月から居住支援事業に名称変更され、その実施は努力義務となる

◆生活困窮者の定義

就労の状況、心身の状況、地域社会との関係性その他の事情により、現に経済的に困窮し、最低限度の生活を維持することができなくなるおそれのある者

試験ではこう問われる！

生活保護制度について正しいものはどれか。3つ選べ。

① 保護は、要保護者の年齢別、性別、健康状態等を考慮して行うものとする。

② 実施機関は、都道府県知事、市長及び福祉事務所を管理する町村長である。

✕3 生活保護費は、最低生活費に被保護者の収入額を加算して支給される。

最低生活費から収入額を減算して支給

✕4 福祉用具の利用は、生活扶助の対象である。

介護扶助の対象

⑤ 生活保護の申請は、要保護者、その扶養義務者又はその他の同居の親族が行うことができる。

〈R5－60〉 正答 1 2 5

〈社会資源他制度〉

高齢者の虐待防止

高齢者の虐待は、高齢者の人権を擁護するという観点からも問題意識をもつべき問題です。特に虐待の種類や発見した場合の対応、高齢者虐待防止法について多く問われています。

1 虐待の種類

虐待は、他者によるものと自分自身によるものとに区別されている

- 認知症高齢者の身体的虐待の場合は、他者によるものか、自傷自害行為によるものなのか、慎重な見きわめが必要です。

◆虐待の種類

身体的暴力による虐待	殴る、つねる、おさえつけるなど
性的暴力による虐待	性的暴力、性的いたずらなど
心理的障害を与える虐待	言葉による暴力、家庭内での無視など
経済的虐待	年金を渡さない、年金を取り上げる、財産を無断で処分するなど
介護拒否、放棄、怠慢による虐待（ネグレクト）	治療を受けさせない、食事を準備しないなど

2 虐待の発見

- 介護支援専門員や介護の仕事に従事する人は、常に人権擁護の視点をもち、高齢者や家族の様子に日頃から注意を払うことが大切です。
- 虐待発生のサインがみられる場合には、サービス従事者同士で情報交換を行い、正確な事実を把握して評価を行います。

あわせてチェック　**虐待発生のサイン**

- 説明のつかない転倒・傷を繰り返している
- 身体にあざやみみず腫れがある
- もうろうとしている
- 介護者や家族がそばにいると態度が変わる
- おびえる
- 極端に人目を避けている
- 部屋に鍵をかけられている
- ベッドに身体を固定されている　など

◆虐待とその対応

○認知症高齢者、後期高齢者、女性が虐待を受けやすく、最も多いのは身体的虐待、次いで心理的虐待、介護等放棄が多い
○虐待を発見した場合、その重症度を判断し、介入が必要となった場合は、虐待対応の窓口となる地域包括支援センターに相談し、各サービス事業所との連携のもとに対処する

3 虐待への介入と高齢者虐待防止法

2005（平成17）年に成立した「高齢者虐待の防止、高齢者の養護者に対する支援等に関する法律」では、高齢者への虐待防止とともに、養護者支援のための施策が盛り込まれている

- 高齢者とは65歳以上の者で、養護者とは高齢者を現に養護する者で、養介護施設従事者等以外の者です。
- 養護者または養介護施設従事者等により虐待を受けたと思われる高齢者を発見した者は、高齢者の生命または身体に重大な危険が生じている場合は、すみやかに市町村に通報しなければなりません（通報義務）。そのほかの場合、虐待を受けたと思われる高齢者を発見した者は、すみやかに市町村に通報するよう努めます（努力義務）。

- 通報を受けた市町村は、必要に応じ、一時的に保護するため老人福祉法上の措置（老人短期入所施設への入所など）をとります。または、適切に後見開始等の審判の請求をします。
- 市町村は、虐待によって高齢者の生命または身体に重大な危険が生じているおそれがある場合、直営の地域包括支援センターその他の職員に、立ち入り調査をさせることができます。
- 養護者に対して、相談、指導、助言など必要な措置をとります。その養護者の負担軽減を図るために必要な場合には、高齢者が短期間養護を受けることができるよう、居室の確保を行います。

試験ではこう問われる！

高齢者虐待の防止について適切なものはどれか。3つ選べ。

① 本人の希望する金銭の使用を理由なく制限することは、経済的虐待である。

~~2~~ 介護支援専門員には、高齢者虐待の防止において、早期発見の役割は期待されていない。

→ 職務上関係のある者は虐待を発見しやすい立場にあること自覚し、早期発見に努めなければならない

③ 高齢者の外部との接触を意図的、継続的に遮断する行為は、身体的虐待である。

④ 高齢者の意欲や自立心を低下させる行為は、心理的虐待である。

~~5~~ 「緊急やむを得ない場合」として身体拘束が認められるのは、「切迫性」、「非代替性」、「一時性」のいずれかを満たす場合である。

→ すべて

〈H29－60〉 正答 1 3 4

福祉サービス分野 〈社会資源他制度〉

9 障害者総合支援法

障害者福祉制度の流れは、2003（平成15）年度に導入された支援費制度から障害者自立支援法を経て障害者総合支援法（2013〔平成25〕年4月施行）となっています。現行制度の概要やその財源、利用者負担などについて把握しておきましょう。

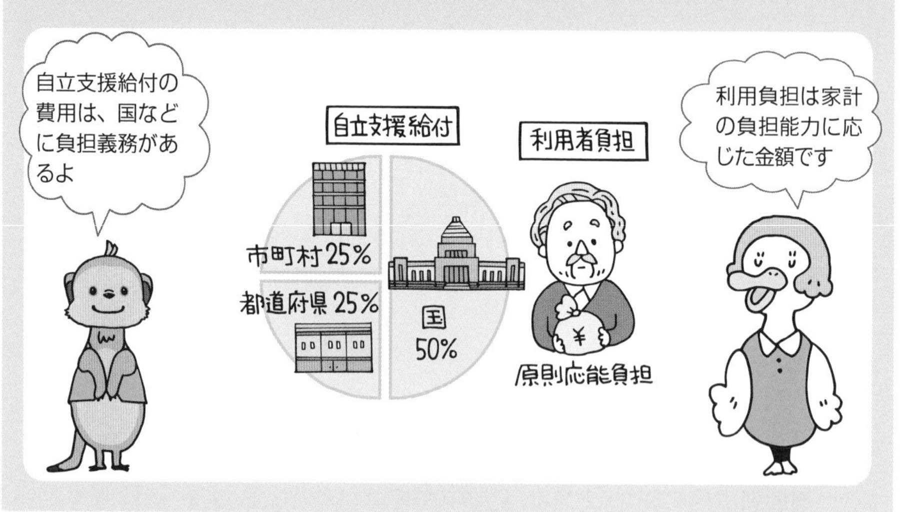

1 これまでの障害者福祉制度

現行法の「障害者の日常生活及び社会生活を総合的に支援するための法律（障害者総合支援法）」は、障害者自立支援法を見直したもの

- 2003（平成15）年度に導入された支援費制度では、措置制度から、障害者と事業者との契約に基づいて利用するしくみへ変わりました。
- 2005（平成17）年に成立した障害者自立支援法では、支援費制度における財源不足や地域格差、障害の種別による不公平感などの問題を解決するため、障害者の福祉サービスの一元化や応益負担などが盛り込まれました。
- 2012（平成24）年6月に成立（同月公布）した「障害者の日常生活及び社会生活を総合的に支援するための法律（障害者総合支援法）」は、

障害者自立支援法を見直したものです（2013年4月施行）。

Key Point ◆障害者総合支援法の主なポイント

○基本理念の創設　○障害者の範囲に「難病患者等」を追加
○重度訪問介護の対象者拡大　○ケアホームのグループホームへの一元化

2 障害者総合支援法の給付の概要

障害者総合支援法の大きな柱は、個別の支給決定で障害福祉サービスなどを提供する自立支援給付と、地域の実情に応じて柔軟に対応する地域生活支援事業の2つ

- 自立支援給付には、介護給付（介護の支援に関する給付）、訓練等給付（訓練などの支援に関する給付）、自立支援医療（従来の更生医療、育成医療、精神通院医療を統合したもの）、補装具（購入、貸与および修理に要した費用を支給）などがあります。
- 地域生活支援事業には、市町村が行うものと都道府県が行うものがあります。
- 施設で行われるサービスは、日中活動と居住支援に区分され、障害者は自分に合った複数のサービスを選択できるようになっています。

◆日中活動と居住支援の組み合わせの例

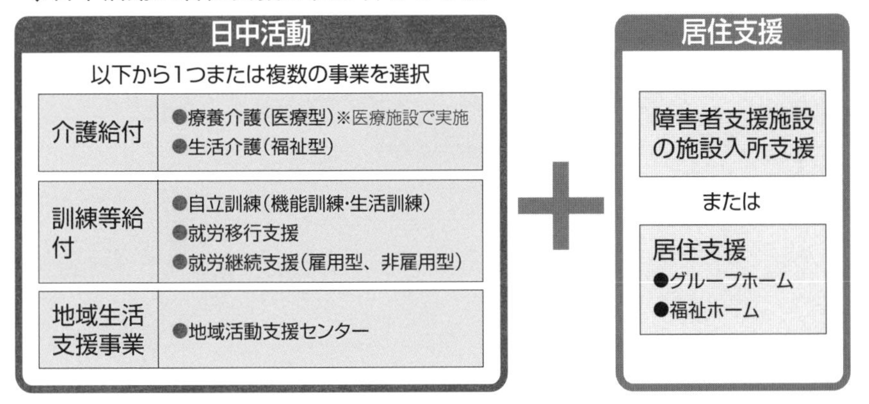

◆障害者総合支援法による総合的な自立支援システム

市町村

自立支援給付

介護給付
- ○居宅介護
- ○重度訪問介護
- ○同行援護
- ○行動援護
- ○療養介護
- ○生活介護
- ○短期入所
- ○重度障害者等包括支援
- ○施設入所支援

訓練等給付
- ○自立訓練（機能訓練・生活訓練）
- ○就労移行支援
- ○就労継続支援
- ○共同生活援助
- ○就労定着支援
- ○自立生活援助
- ○就労選択支援※

※2025年10月1日施行予定

地域相談支援

計画相談支援

障害者・児

自立支援医療
- ○更生医療
- ○育成医療
- ○精神通院医療※

※実施主体は都道府県

補装具

地域生活支援事業
- ○理解促進研修・啓発　○相談支援
- ○成年後見制度利用支援　○意思疎通支援
- ○日常生活用具の給付または貸与
- ○移動支援　○手話奉仕員養成研修
- ○地域活動支援センター　など

↑ **支援**

広域支援、人材育成など

都道府県

3 財源と利用者負担

財源には、国の義務的負担が定められている

- 自立支援給付の費用は、国が50%、都道府県と市町村が25%ずつ負担します。
- 利用者負担は、家計の負担能力に応じて軽減するしくみがとられています。

利用者負担の軽減

法改正により、65歳まで長期間にわたり障害福祉サービスを利用してきた障害者が、介護保険サービスを利用する場合に、一定の所得以下であれば介護保険の利用者負担を障害福祉制度により軽減（償還）するしくみが設けられています（2018〔平成30〕年4月施行）。

4 給付の手続き

サービス等利用計画案の内容を踏まえて支給決定される

- サービスの利用を希望する人は、市町村の窓口に申請します。介護給付では、障害支援区分の認定を受けます。
- 市町村は、申請をした利用者にサービス等利用計画案（指定特定相談支援事業者が作成）の提出を求め、その内容を踏まえて支給決定をします。
- 指定特定相談支援事業者によるサービス担当者会議などによる調整を経て決定したサービス等利用計画に基づき、サービス利用が開始されます。

サービス等利用計画

サービス等利用計画の作成はすべての利用者について必須となっています（2015〔平成27〕年4月から）。

◆支給決定までの流れ

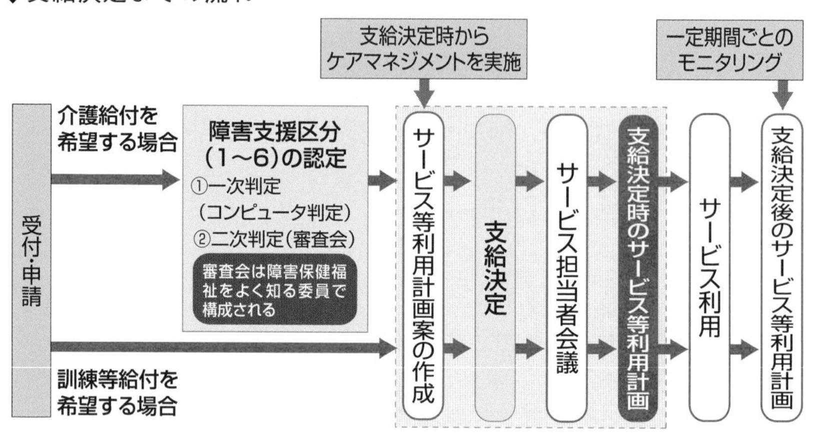
支給決定時から
ケアマネジメントを実施
一定期間ごとの
モニタリング
受付・申請
介護給付を
希望する場合
訓練等給付を
希望する場合
障害支援区分
(1～6)の認定
①一次判定
(コンピュータ判定)
②二次判定(審査会)
審査会は障害保健福祉をよく知る委員で構成される
サービス等利用計画案の作成
支給決定
サービス担当者会議
支給決定時のサービス等利用計画
サービス利用
支給決定後のサービス等利用計画

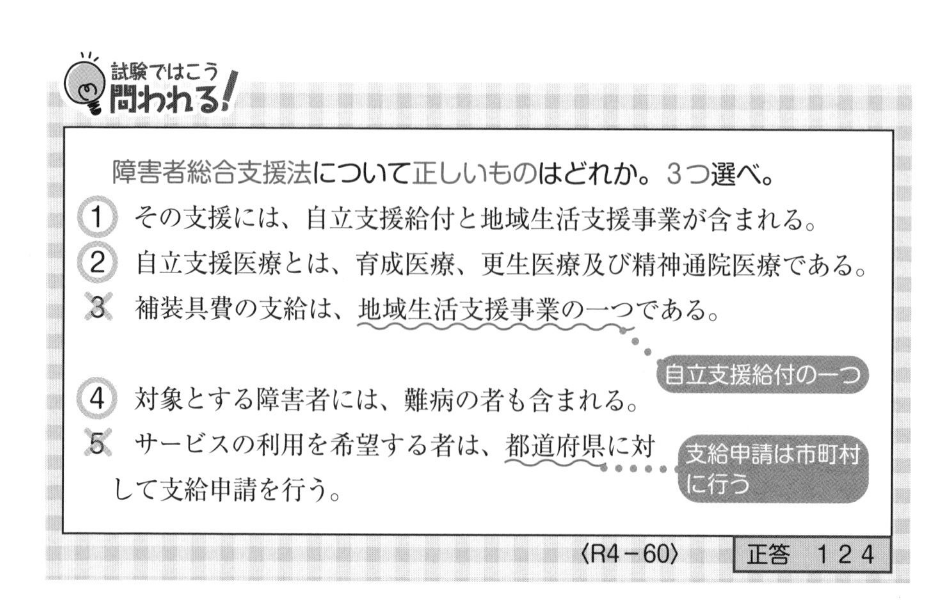
試験ではこう
問われる!
障害者総合支援法について正しいものはどれか。3つ選べ。
1 その支援には、自立支援給付と地域生活支援事業が含まれる。
2 自立支援医療とは、育成医療、更生医療及び精神通院医療である。
3 補装具費の支給は、地域生活支援事業の一つである。
自立支援給付の一つ
4 対象とする障害者には、難病の者も含まれる。
5 サービスの利用を希望する者は、都道府県に対して支給申請を行う。
支給申請は市町村に行う
〈R4－60〉
正答 1 2 4

●法改正・正誤等の情報につきましては，下記「ユーキャンの本」ウェブサイト内
「追補（法改正・正誤）」をご覧ください。
https://www.u-can.co.jp/book/information

●本書の内容についてお気づきの点は
・「ユーキャンの本」ウェブサイト内「よくあるご質問」をご参照ください。
https://www.u-can.co.jp/book/faq
・郵送・FAXでのお問い合わせをご希望の方は，書名・発行年月日・お客様のお名前・ご住所・FAX番号をお書き添えの上，下記までご連絡ください。
【郵送】〒169-8682 東京都新宿北郵便局 郵便私書箱第2005号
ユーキャン学び出版 ケアマネジャー資格書籍編集部
【FAX】03-3350-7883
◎より詳しい解説や解答方法についてのお問い合わせ，他社の書籍の記載内容等に関しては回答いたしかねます。

●お電話でのお問い合わせ・質問指導は行っておりません。

本文キャラクターデザイン　なかのまいこ

2025年版　ユーキャンの ケアマネジャー はじめてレッスン

2014年 2月26日　初　版　第1刷発行
2015年 3月 6日　第2版　第1刷発行
2016年 2月 5日　第3版　第1刷発行
2016年12月21日　第4版　第1刷発行
2017年11月10日　第5版　第1刷発行
2018年11月 7日　第6版　第1刷発行
2019年11月 8日　第7版　第1刷発行
2020年11月 6日　第8版　第1刷発行
2021年11月 5日　第9版　第1刷発行
2022年10月21日　第10版　第1刷発行
2023年10月20日　第11版　第1刷発行
2024年10月11日　第12版　第1刷発行

編　者　ユーキャンケアマネジャー試験研究会
発行者　品川泰一
発行所　株式会社 ユーキャン 学び出版
〒151-0053
東京都渋谷区代々木 1-11-1
Tel 03-3378-1400
編　集　株式会社 東京コア
発売元　株式会社 自由国民社
〒171-0033
東京都豊島区高田 3-10-11
Tel 03-6233-0781（営業部）

印刷・製本　望月印刷株式会社

※落丁・乱丁その他不良の品がありましたらお取り替えいたします。お買い求めの書店か自由国民社営業部（Tel 03-6233-0781）へお申し出ください。

　ISBN978-4-426-61609-0